LOS INTERESES CREADOS

LA MALQUERIDA

clásicos castalia

COLECCIÓN FUNDADA POR
DON ANTONIO RODRÍGUEZ-MOÑINO

DIRECTOR
DON ALONSO ZAMORA VICENTE

JACINTO BENAVENTE

LOS INTERESES CREADOS
LA MALQUERIDA

Edición,

introducción y notas

de

JOSÉ MONTERO PADILLA

clásicos castalia

Madrid

Copyright © Herederos de D. Jacinto Benavente
© Montepío de Actores Españoles
© Editorial Castalia, S.A., 1996
Zurbano, 39 - 28010 Madrid - Tel. 319 89 40

Cubierta de Víctor Sanz

Fotocomposición: Slocum, S. L.
Impreso en España - Printed in Spain
Unigraf, S.A. - Móstoles (Madrid)

I.S.B.N.: 84-7039-732-X
Depósito Legal: M. 11.023-1996

SUMARIO

INTRODUCCIÓN
BIOGRÁFICA Y CRÍTICA

I. Vida, época, obra

Jacinto Benavente nació, como él mismo contará en su interesantísimo, delicioso libro de memorias titulado *Recuerdos y olvidos,* en la Villa y Corte:

> En Madrid, a 12 de agosto de 1866, entre domingo y lunes, esto es, de once y media a doce de la noche, me entré por el mundo, el menor de tres hermanos, varones los tres, nueve años mayor que yo el primogénito y ocho el segundo.[1]

La casa natal fue la señalada con el número 27 de la calle del León, en su piso segundo, tal como en la actualidad evoca una placa colocada por el Ayuntamiento de la capital en 1990 con el texto siguiente:

> EN ESTA CASA NACIÓ
> EL 12 DE AGOSTO DE 1866
> EL AUTOR TEATRAL
> JACINTO BENAVENTE
> PREMIO NOBEL
> DE LITERATURA
>
> Ayuntamiento de Madrid 1990[2]

[1] Jacinto Benavente, *Recuerdos y olvidos,* en *Obras completas,* Madrid, Aguilar, 1958, t. XI, pp. 498-499.
[2] *Plan memoria de Madrid. Guía de placas conmemorativas,*

En ese mismo año de 1866 se estrena, póstuma-
mente, en el teatro del Príncipe, la tragedia *La muerte
de César,* original de Ventura de la Vega. Y se coloca
—el 21 de abril— la primera piedra del edificio destinado a sede de la Biblioteca Nacional. Y tiene lugar,
en el mes de junio, la sublevación de los sargentos del
madrileño cuartel de San Gil. Y, tras varios años de
ausencia de España, llegará a Madrid el poeta José
Zorrilla.

Recuerdos de infancia y juventud

Algunos aspectos de la vida española, durante una
veintena de años, desde 1866 a 1886, quedarán recogi-
dos con precisión y vivacidad magníficas en las
Memorias de Jacinto Benavente, donde el escritor
cuenta, evoca, describe, glosa, critica o elogia, ironiza,
alecciona, da nueva vida, en fin, a personajes muy diversos, a sucesos extraordinarios y a menudas anécdotas, a
muchas horas y perfiles españoles, en unas páginas que
el autor redactó en 1937 y en las que se remonta a su
infancia.

A muchas personalidades de aquel tiempo (años 1868
a 1902), sobresalientes en diversos ámbitos y profesio-
nes, las conoció el futuro escritor en la consulta de su
padre, don Mariano Benavente, médico estimadísimo
en sus días, tal como lo atestigua su busto, original
del escultor Ramón Subirat, en el madrileño Parque del
Retiro, hecho por suscripción pública e inaugurado en
1886, un año después de su fallecimiento.[3] Así pudo
conocer a políticos como Bravo Murillo, Sagasta,
Romero Robledo, Francisco Silvela; y a actores:

_____

Madrid, Ayuntamiento de Madrid, Ediciones La Librería,
1992, p. 19.
   [3] *Vid.* José Montero Alonso, F. Azorín y José Montero
Padilla, *Diccionario general de Madrid,* Madrid, Méndez y
Molina edits., 1990, p. 219.

Fernando Osorio, Antonio Vico, Rafael Calvo, María Tubau, Emilio Mario; y a escritores: Luis Mariano de Larra, hijo de *Fígaro;* Juan Valera, José Echegaray, que "eran muchas las mañanas —cuenta Benavente— que se presentaba en casa muy temprano para llevarse a mi padre en su coche, [...], para que viera a su hijo, muy niño entonces, que criaba delicado y era la mayor preocupación de su padre".[4]

Madrid, escenario y fondo casi permanente de estas páginas de memorias, es también, con frecuencia, objeto directo de la atención del autor. Así cuando, al evocar la figura del marqués de Salamanca y sus bien-andanzas y adversidades, observa cómo, paralela-mente, "en estos altibajos y vaivenes de la fortuna Madrid prosperaba, y cuando de esta prosperidad material daba también razón su gracia espiritual, como en sus fiestas y en su vida de sociedad, era único en el mundo; encanto y seducción de extranjeros y forasteros. Así fueron tantos los que llegaron a Madrid por unos días y se quedaron en él para toda la vida".[5]

El día 13 de julio de 1885 muere don Mariano Benavente, el padre del futuro escritor. Padecía del corazón y él —médico— lo sabía perfectamente. El día anterior, en una de sus visitas profesionales, la que efec-tuó a la condesa de Gaviria, que era paciente suya y sufría del mismo mal—una angina de pecho—, dijo al despedirse: "Estoy yo peor que usted, señora. Puede que ésta sea mi última visita".

Ocurrió a la noche. Después de cenar se puso a leer un libro que había recibido ese mismo día, con obras de Shakespeare, entre ellas *El rey Lear,* en la traducción de MacPherson. Pero, en seguida, interrumpió la lectura y dijo que se iba a acostar porque sentía algo de frío. Todo ello lo va contando el hijo, Jacinto, en sus

[4] Jacinto Benavente, *Recuerdos y olvidos,* en *Obras comple-tas,* Madrid, Aguilar, 1958, t. XI, p. 563.
[5] *Recuerdos y olvidos,* ed. cit., pp. 656-657.

Memorias, con minuciosa puntualidad bajo la que fluye una contenida emoción:

> Yo, apenas dejó mi padre el libro, caí sobre él, porque desde que llegó andaba desazonado por leerlo. Yo había leído otras obras de Shakespeare, pero no conocía *El rey Lear.* Me senté en el comedor dispuesto a no acostarme hasta haber leído mi *Rey Lear.* De pronto entró mi hermano mayor demudado... *¡Papá se ha muerto!*
>
> Muchos años después, al encargarme una casa editorial la traducción de algunas obras de Shakespeare, elegí sin vacilar *El rey Lear.* Era lo último que había leído mi padre y de sus manos había pasado el libro a las mías.[6]

Y junto a la presencia del padre, la de la madre, doña Venancia Martínez, a quien Jacinto Benavente dedica hermosísimas palabras:

> Para hablar de mi madre quisiera yo que hubiera en lo literario un sacramento, como la comunión en lo religioso, capaz de ponerme en estado de gracia, de purificar todos mis pensamientos.[7]

Personajes, episodios varios, anécdotas, ironías y críticas, alegrías y tristezas, emociones, el cotidiano fluir de la vida en fin, de un tiempo de la existencia de Jacinto Benavente y de la historia de España... Todo ello, múltiple y diverso, permanece, late aún en las páginas de *Recuerdos y olvidos.* Tan complejo y rico contenido adquiere unidad en la perspectiva del escritor, una perspectiva sosegada, sin crispaciones, que posee siempre la virtud de la serenidad mientras emociones y pasiones quedan soterradas. El mismo autor lo precisará con justeza: "...sobre todas las turbulencias, en el más desencadenado oleaje, me afirmé siempre en roca firme: la serenidad contempladora de mi espíritu".[8]

---

[6] *Recuerdos y olvidos,* ed. cit., pp. 566-567.
[7] *Recuerdos y olvidos,* ed. cit., p. 571.
[8] *Recuerdos y olvidos,* ed. cit., p. 739.

Afición al teatro

Niño muy pequeño todavía, Jacinto Benavente tiene su diversión predilecta en el teatro. "El teatro —afirmará mucho más tarde— era el único juguete que tenía encantos para mí."[9] Hasta cuatro o cinco llega a poseer: con escenarios y decoraciones de cartón, telones de percal, figuras recortables que representan a distintos personajes... Y para estos juegos imagina ya argumentos e improvisa diálogos que dice él mismo. Nacen así su gusto y su amor al teatro, en los que perseverará siempre. Por ello podrá escribir, muchos años después: "Al fin de mi vida, el teatro es para mí lo que era a su principio: un divertido juego en el que he puesto siempre toda el alma, como la ponen los niños en sus juegos."[10] Y, asimismo, decir, en otra ocasión, en una entrevista que le hizo Enrique González Fiol: "La vida de bastidores me entusiasmaba. De no haber sido autor hubiera querido ser cómico, o empresario o tramoyista. Yo amaba el teatro por el teatro mismo. No fui a él por dinero ni por aplausos, sino por divertirme, por andar dentro de él."[11] Y muy conocida es también su vocación de intérprete, a la que dio satisfacción en numerosas ocasiones, aunque fuese en representaciones aisladas y con especiales motivos. Por todo ello, en fin, cabría decir: Benavente o el hombre de teatro. Que pocas veces podrá hallarse una tan ejemplar y continuada entrega al mundo de la escena en su íntegra multiplicidad de perfiles y vertientes.

Para aquel teatro de sus juegos, imaginaciones e ilusiones infantiles escribirá su primera obra, un cuento en un acto al que titula *El gato pardo.* Seguirán otras piezas, de expresivos títulos: *Los cazadores de leones,* y una

[9] Jacinto Benavente, *Las terceras de ABC,* Madrid, Prensa Española, 1976, p. 15.

[10] *Ibídem,* p. 17.

[11] Enrique González Fiol, *Domadores del éxito,* Madrid, 1915, pp. 39-40.

adaptación de *Nuestra Señora de París,* y otra con afán espectacular a la que denomina *Las mil y una noches,* que coinciden ya con su último año de bachillerato, cursado en el colegio de San José, adscrito al Instituto de San Isidro. El padre del incipiente autor considera entonces que entrega tan absorbente puede convertirse en un peligro para el debido rendimiento en los estudios y prohíbe que continúen los juegos teatrales. La desilusión del muchacho será muy grande:

> A mi padre le parecía que yo no estudiaba todo lo que era preciso, y suspendió las representaciones. Yo regalé el teatro por no verlo callado y triste. Fue mi adiós a la infancia. Aquel día dejé de ser niño por fuera; pero dentro seguí imaginando mi vida. Sería actor o no sería nada. Desde aquel día fui muy reconcentrado. A nadie comunicaba mi pensamiento. Sólo vivía de mi vida interior y estaba siempre triste, muy triste. Yo no había pensado nunca en ser autor; actor, sí; era toda la ilusión de mi vida. Era la única evasión posible. Amar por otras almas y padecer por todas y vivir muchas vidas, para perderme en ellas.[12]

Primeras obras

Pero será como autor y en la literatura donde Jacinto Benavente encuentre el cauce para su definitiva vocación. Y en 1892, el año en que se cumplen los cuatrocientos del descubrimiento de América y su conmemoración señorea la mayor parte de las actividades culturales, el escritor publica su primer libro. Éste se titula *Teatro fantástico* y está compuesto por ocho piezas no destinadas a la representación. No tiene un eco extraordinario, pero tampoco pasa inadvertido y algunas reseñas aparecidas en diarios y revistas destacan en estas obritas su sentido de reacción contra el naturalismo literario dominante en esos momentos, contra el

---

[12] *Recuerdos y olvidos,* pp. 653-654.

desmesurado afán detallista, contra las tendencias materialistas aplicadas a la observación escueta y descarnada de la realidad. Diversamente, este *Teatro fantástico* es imaginativo, poético, rico de ensueños, de lirismo y en él se manifiestan ya un nuevo acento literario y la personalidad de un escritor auténtico. En una de las obritas incluidas en el volumen, titulada *Modernismo,* uno de sus personajes dice: "En moral, como en arte, sólo hay una expresión honrada: la sinceridad. Si somos buenos, la expresión de nuestra vida será la bondad; si somos artistas, la expresión de nuestro arte será la belleza; pero seamos sinceros siempre".[13]

Y, al año siguiente, dos nuevos libros: *Versos* y *Cartas de mujeres.* El primero de ellos posee un carácter intensamente lírico e intimista y en él se entrecruzan resonancias todavía románticas —Espronceda, Bécquer...—, escepticismos a la manera de Campoamor o de Balart, y preludios de los afanes renovadores del Modernismo.

Clara y granada muestra de lo que serán la manera y el espíritu de la literatura benaventiana, y en especial de su agudeza psicológica, ofrece otro libro de 1893: *Cartas de mujeres.* Se trata, en efecto, tal como el título da ya a entender, de una serie de misivas —diecinueve en total— cuyas autoras son otras tantas mujeres, mujeres distintas en su edad, en su condición, en su carácter... La obra pertenece, pues, al género epistolar, y éste facilita al verdadero autor de los textos llevar a cabo sutiles análisis psicológicos de la condición femenina, trazar sugestivos retratos de mujeres, cuyas almas surgen plenas, verdaderas, desnudas para el lector. Género epistolar,

---

[13] Jacinto Benavente, *Teatro fantástico,* en *Obras Completas,* Madrid, Aguilar, 1957, t. VI, p. 89. En 1899 Gregorio Martínez Sierra (nacido en 1881) publicará una de sus primeras obras con el título *Diálogos fantásticos* y dedicada a Jacinto Benavente, y algunos años después, en 1905, una serie de piezas dialogadas, de carácter declaradamente modernista ya, tituladas *Teatro de ensueño.*

sí, como ya he indicado, pero bocetos de monólogos también, para dichos en un escenario y en los que se vislumbra ya al autor dramático.

Y por fin, en 1894, el primer estreno, el día 6 de octubre, en el madrileño Teatro de la Comedia, a cuyo director y también actor eminente, Emilio Mario lleva Jacinto Benavente una comedia a la que ha puesto como título *El nido ajeno*. Emilio Mario comentó, según parece, en las vísperas del estreno: "No me inquieta el fallo del público, aunque le supongo favorabilísimo; pero cualquiera que sea el éxito de la comedia, aseguro que en el teatro español nace hoy un gran autor".[14]

Con *El nido ajeno* nacía un nuevo autor dramático y comenzaba, también, nuestro teatro contemporáneo. Desde la perspectiva actual, *El nido ajeno* nos parece una notabilísima comedia, de sorprendente perfección en su estructura y en la que asoman y se perfilan ya algunos de los rasgos sobresalientes del teatro benaventiano. Es cierto que la naturalidad y fluidez del diálogo pueden tener —lo tienen sin duda— un maestro lejano en Moratín,[15] y que el conflicto de la comedia recuerda, en algunos momentos, a los planteados tantas veces por Echegaray, pero lo que en éste es grito, exasperación, violencia gestual, en Benavente fluye soterradamente, y se hace insinuación, matiz, delicado ademán.

[14] La afirmación de Emilio Mario la recoge José Francos Rodríguez en su libro *Vejeces* y ha sido reproducida en diversas ocasiones. Cfr., por ej., Ismael Sánchez Estevan, *Jacinto Benavente y su teatro,* Barcelona, Ariel, 1954, pp. 40-41; y José Montero Alonso, *Jacinto Benavente. Su vida y su teatro,* Madrid, Sucs. de Rivadeneyra, 1967, pp. 96-97.

[15] Véase José Montero Padilla, "Moratín y su magisterio", *Boletín de la Biblioteca de Menéndez Pelayo,* XXXVIII (1962), pp. 173-177, esp. p. 177; y "De Leandro Fernández de Moratín a Gregorio Martínez Sierra: un tema y dos comedias", en VV. AA., *Historia y estructura de la obra literaria,* Madrid, CSIC, 1971, pp. 243-251, esp. p. 251.

Benavente ante Echegaray

Se ha hecho casi habitual, en las publicaciones dedicadas al estudio del teatro español de la segunda mitad del siglo XIX, el enfrentamiento u oposición entre las creaciones dramáticas de Echegaray y Benavente. En las obras de este último se cree observar una renovación e incluso una aniquilación con respecto a las del autor de *El gran galeoto*. Los testimonios en este sentido son muy numerosos. Así, Ángel Valbuena Prat, al efectuar una valoración del teatro de Benavente, escribe:

> Al morir Jacinto Benavente en la mitad del presente siglo, el 1954, está no solamente a la distancia suficiente del centro de su amplia y fina producción de comediógrafo del novecientos, sino propenso también a revisar o revalorar el *teatro que él aniquiló*.[16]

E insiste:

> Al comenzar sus estrenos con *El nido ajeno,* la generación incipiente veía un teatro lleno de naturalidad, de conversación incisiva, de diálogo sin efectismos, en contraste con la moda predominante de los aspavientos de Echegaray.[17]

Reacción, pues, y consiguiente aniquilación, señalaba Valbuena Prat.

Mucho tiempo atrás —en 1925—, Ángel Lázaro afirmaba: "Benavente es la antítesis de Echegaray."[18] Al año siguiente, Azorín sostiene que el teatro de Benavente es "una reacción al teatro de Echegaray".[19]

---

[16] Ángel Valbuena, Prat, *Historia del teatro español,* Barcelona, Noguer, 1956, p. 573. La cursiva es nuestra.

[17] *Ibídem,* p. 576.

[18] Ángel Lázaro, *Jacinto Benavente. De su vida y de su obra,* París-Madrid, 1925, p. 28.

[19] Azorín, "Para un estudio de Benavente", artículo publicado en el diario *ABC* de 25 de agosto de 1926.

La idea de la oposición entre ambos dramaturgos se hace casi un lugar común y es aceptada unánimemente.

A pesar de esta oposición, tan evidente, entre las producciones de ambos dramaturgos, no se ha dejado de señalar, en alguna ocasión —y aunque ello pueda parecer paradójico—, ciertos influjos de Echegaray sobre Benavente. En un principio, quizá por no haber encontrado aún Benavente su verdadero e innovador camino.[20] Después, por una aceptación consciente de la técnica teatral de Echegaray. Así, en *La infanzona,* o en *Los ojos de los muertos*, "ésta con deliberada imitación de la forma melodramática de Echegaray".[21] Especialmente insiste en este aspecto Ismael Sánchez Estevan, a propósito de *La Malquerida* y de *Lo increíble.*[22]

Y hay que tener en cuenta la actitud del propio Benavente ante la creación del dramaturgo inmediatamente anterior, de admiración y entusiasmo rotundos, como revela la lectura de algunos textos del autor de *Señora ama.* En 1932, con ocasión de cumplirse el primer centenario del nacimiento de Echegaray, don Jacinto manifestó su fervor por la obra de aquel dramaturgo en un artículo al que corresponden las siguientes palabras:

> Cuando todos creían ver en mi teatro como una oposición al teatro de Echegaray, sólo María Guerrero, con aquella admirable penetración suya, me decía siempre:

[20] A propósito de la primera comedia estrenada por Benavente, leemos en Ángel Lázaro: en "*El nido ajeno* asoma todavía alguna situación de aquellas que proporcionaron a Echegaray tantos aplausos". Ob. cit., p. 22.

[21] Ángel González Palencia, "Don Jacinto Benavente", art. en la revista *Tic-tac,* Madrid, noviembre de 1944, pp. 15-24. Las palabras reproducidas en p. 21.

[22] "...La intensidad dramática de *La Malquerida* una vez más enlaza el teatro de Benavente con el de Echegaray". Véase Ismael Sánchez Estevan, *ob. cit.,* p. 141. Cfr. nuestra reseña en la *Revista de Literatura,* V (1955), pp. 414-416.

"¡Qué disparate! Usted procede de don José, y cuantas más obras de usted estreno, más me convenzo de ello".[23]

Otro dato elocuente en el mismo sentido es el que sigue. En 1905, al concederse el Premio Nobel a Echegaray, se extiende la idea de rendir un homenaje al dramaturgo galardonado. Como este homenaje parece conceder a Echegaray un valor *representativo* de la literatura española del momento, muchos escritores de entonces protestan contra ello en un manifiesto aparecido en la prensa el 19 de febrero.[24] Entre las firmas figuran los nombres esenciales de la que será llamada generación del 98 y de la tendencia modernista: Unamuno, Rubén Darío, Maeztu, Manuel y Antonio

[23] Artículo publicado en *Blanco y Negro,* 17 de abril de 1932.

[24] He aquí el texto del manifiesto: "Parte de la Prensa inicia la idea de un homenaje a don José Echegaray y se abroga la representación de la intelectualidad española. Nosotros, con derecho a ser incluidos en ella —sin discutir la personalidad literaria de don José Echegaray—, hacemos constar que nuestros ideales artísticos son otros y nuestras admiraciones muy distintas". Y los firmantes son: Miguel de Unamuno, Rubén Darío, Ramiro de Maeztu, Antonio Palomero (crítico de teatro de *La Lectura*), Manuel Bueno (crítico de teatro de *Heraldo de Madrid*), Ricardo Catarineu (crítico de teatro de *La Correspondencia*), Ángel Guerra (crítico de teatro de *El Globo*), José Nogales (crítico de teatro de *Vida Española* y *España,* de Buenos Aires), Luis Bello, Manuel Machado, Antonio de Zayas, Emilio H. del Villar, Nilo Fabra, I. López del Castillo, Félix Méndez, Enrique Rivas, Miguel Adellac, I. Flores de Lemus, Rafael Urbano, A. Álvarez Insúa, Antonio Machado, Manuel Ciges Aparicio, Luis de Tapia, Jacinto Grau, Francisco Camba, León Coca, Manuel Carretero, Joaquín López Barbadillo, Francisco Villaespesa, Miguel A. Ródenas, Enrique Díez Canedo, R. Sánchez Díaz, Pedro de Répide, José Prieto, Isaac Muñoz Lorente, José María Salaverría, Juan Torrendell, Azorín, Antonio Zozaya, Enrique de Mesa, Bernardo G. de Candamo, Melchor Almagro, Luis Gabaldón, Pedro González Blanco, Constantino Román Salanero, Francisco Grandmontagne, Antonio Viergol, I. M. Llamas Aguilaniedo, Pedro Mata, Ramón del Valle-Inclán, Pío Baroja, Enrique Gómez Carrillo.

Machado, Azorín, Valle-Inclán, Baroja... Pero —he aquí el hecho elocuente— falta la firma de Benavente. Ello es perfectamente acorde con las palabras pronunciadas por éste en 1944, al ser objeto de un homenaje nacional: "Echegaray..., de quien guardo todo mi recuerdo y admiración".

En 1948, cuando el comediógrafo volvió a publicar en las páginas de la prensa diaria, dedicó uno de sus artículos a recordar el estreno de *El gran galeoto*. En ese artículo reafirma su posición admirativa y traza algunas breves, pero exactas, agudas observaciones sobre el arte dramático del ingeniero y escritor:

> Un estreno memorable el de *El gran galeoto*, de don José Echegaray. Fue en el año 81, en el mes de marzo y en el día de San José. Esto lo recuerdo muy bien, porque al salir a escena don José Echegaray, alguien del público gritó lo más fuerte que pudo: "¡Don José, que los tenga usted muy felices!" Era el primer estreno a que yo asistía. Algún día escribiré de la importancia que entonces tenía un estreno. Fui con uno de mis hermanos, fanático admirador de Echegaray. Yo también lo era, lo he sido siempre. Joaquín Dicenta y yo éramos en esto los únicos disidentes de nuestra generación, la del 90, de la que tanto se ha disparatado y a la que tanto se ha culpado de lo que ella no tuvo ninguna culpa; antes al contrario, fue víctima de culpas anteriores, que ella, si no pudo enmendar, fue por lo menos la primera en advertirlas [...] Del teatro de Echegaray no puede decirse que esté pasado. Aunque de eterna humanidad en lo fundamental, en cuanto a la realidad circunstancial fue siempre anacrónico. [...] El día en que haya actores que sepan interpretarlo, fuera también de toda realidad, como debe interpretarse y lo interpretaban en aquel tiempo aquellos grandes actores que eran Antonio Vico, Rafael Calvo, Elisa Boldún, Elisa Mendoza Tenorio y el cuadro de actores que les acompañaban, mejores o peores, pero todos a un tono, el tono brillante, único adecuado a estas obras, el teatro de Echegaray volverá a entusiasmar a los públicos como les entusiasmaba entonces.[25]

[25] "Un estreno memorable", artículo en el diario *ABC* de fecha 19 de marzo de 1948.

Estas palabras de Benavente, tan entusiastas, tan precisas, confirman la admiración —paradójica quizás desde el punto de vista de la historia literaria, pero evidente— de su autor al dramaturgo que le antecedió en el dominio de la escena española.

El teatro español en la segunda mitad del siglo XIX

¿Cómo era en España el teatro que antecedió a Benavente? ¿Qué autores se representan entonces y cuáles son las tendencias y nombres más representativos? En la segunda mitad de la centuria decimonónica los escenarios acogen diferentes tendencias, de modo predominante las orientadas hacia lo social, lo docente, lo moral y lo reflexivo-filosófico y que se plasman en diversos géneros teatrales.

Aún se cultiva el drama romántico, en especial el de carácter histórico, que cuenta con el favor de parte del público pero pierde vitalidad y va agotándose de manera progresiva, aunque sobrevive en obras de autores como Hartzenbusch (1806-1880), García Gutiérrez (1813-1884), Zorrilla (1817-1893), Narciso Serra (1830-1877)... Y si el apasionamiento romántico tiende a desaparecer, abundan en cambio los dramas o comedias de un sentimentalismo blando y melodramático, de los que constituye representativo ejemplo la obra *Flor de un día,* original de Camprodón (1816-1870), estrenada en 1851.

Alcanzan éxito también las comedias denominadas "de magia", abundantes en rasgos barrocos y que cultivadas desde largo tiempo atrás, reverdecen sus antiguos triunfos con títulos que tornan a representarse, como, por ejemplo, *Los polvos de la madre Celestina* (1841), *La redoma encantada* (1839) y *Las Batuecas* (1843), de Hartzenbusch; y *La bruja de Lanjarón,* de Tomás Rodríguez Rubí (1817-1890).

Asimismo, continúan vivas en el gusto de los espectadores algunas comedias de Bretón de los Herreros, representadas a menudo y siempre con éxito claro.

Mas si toda esta diversidad de géneros y títulos corresponde a época y tendencias anteriores, contemporáneas del Romanticismo, una nueva concepción teatral había asomado ya a los escenarios y tiene una de sus primeras y más representativas manifestaciones en las creaciones dramáticas de Ventura de la Vega (1807-1865), autor de *El hombre de mundo* (1845), que constituye ejemplo perfecto de comedia urbana o —con denominación que ha de tener fortuna y utilizarse ampliamente— *de salón.* Incluso en el género trágico, Ventura de la Vega esboza un nuevo concepto, explicado en unas palabras suyas dirigidas al actor Julián Romea, en las que le comenta su tragedia *La muerte de César,* que se estrenará, póstuma, en 1866: "Le he quitado la tiesura, la aridez, la entonación igual y uniforme; le he dado variedad, flexibilidad. Observa y verás que en mi tragedia las gentes comen, duermen, se emborrachan, se dicen pullas." El escritor abre así, en definitiva, el camino a la naturalidad y al predominio de lo conversacional en la escena, un camino por el que se ha de llegar a la "alta comedia" de Adelardo López de Ayala (1828-1879) y de Manuel Tamayo y Baus (1829-1898), en la que cobra vida una nueva estética teatral hecha de verosimilitud y sentido realista, y acompañada de afanes docentes, morales, con un propósito de ejemplaridad ética.

Pero este carácter realista, este afán de naturalidad y verdad llevados a la escena, serán, si no interrumpidos, sí atenuados por la "recrudescencia romántica" de José Echegaray (1832-1916), gustosa de la exuberancia gestual, de los conflictos, de las situaciones extremas, del apasionamiento verbal y en los sentimientos. En esta trayectoria, aunque con rasgos y matices propios, estarán incursos también otros autores, como Eugenio Sellés (1844-1926), Leopoldo Cano (1844-1936), e incluso Joaquín Dicenta (1863-1917) con su drama *Juan José,* si bien en este último se perciben asimismo ciertos rasgos naturalistas y una fuerte carga social. Naturalismo, y simbolismo también a veces, con notorias influencias extranjeras.

Especial significación, como antecedente inmediato del teatro benaventiano, poseen las obras de otro comediógrafo, Enrique Gaspar (1842-1902). Con este autor, tal como ha afirmado Daniel Poyán,

> hay que relacionar en gran manera el paso trascendental que, allá por los años noventa, da nuestro teatro. La postergación del verso, la contención lírica, los caracteres mejor matizados, la reducción de la acción en favor del diálogo, la mayor exactitud y verdad de la representación fueron motivos a los que dedicó cuidadosa atención. En efecto, fue él el primero que hizo notar, con claridad y decisión, la necesidad de que las comedias de costumbres contemporáneas, que pretendían recoger con la mayor realidad posible la vida de la época, estuvieran dialogadas en prosa, en una prosa que era necesario crear. También se preocupó de que las declaraciones tuvieran mayor carácter de verosimilitud y de que los actores adoptasen maneras menos artificiosas y más de acuerdo con la realidad. Desechó las pasiones furibundas de los románticos y sus exaltadas declamaciones. Quería llevar a la escena la vida sin exageraciones, acordada a un diapasón humano.[26]

Otro tipo de teatro, muy diferente a los anteriormente reseñados, pero de singular importancia y peculiarísimo carácter, nacía en 1870 con una obrita, *Cuadros al fresco,* original de Tomás Luceño,[27] y se desarrollaba y alcanzaba éxitos extraordinarios que continuarán en el siglo actual. Este teatro, por la brevedad de sus piezas, recibirá la denominación de "género chico" e irá acompañado a menudo de música de extraordinaria calidad que ayudará de modo fundamental al triunfo del género.

Y, como un hito de excepcional importancia, sobresale también en el teatro de fines de siglo la personalidad

[26] D. Poyán Díaz: *Enrique Gaspar,* Madrid, Edit. Gredos, 1957, t. I, pp. 10-11.
[27] *Vid.,* José Montero Padilla: "Acercamiento a Tomás Luceño", en *Anales del Instituto de Estudios Madrileños,* t. XXXIII, Madrid, CSIC, 1993, pp. 601-616.

de Benito Pérez Galdós (1843-1920), profundamente admirado por Benavente, tal como este último manifestó con reiteración:

> Pérez Galdós, en mi opinión nuestro primer autor dramático, no acaba de serlo en opinión de todos.[28]

Y cuyo influjo asimismo reconoció:

> En sus novelas aprendí a escribir comedias antes que en modelos extranjeros por los que se me ha juzgado influido.[29]

Éste es, en esquemática síntesis, el panorama del teatro español en la segunda mitad de la centuria decimonónica. Del teatro que antecedió al de Benavente, el que él pudo ya ver representar de niño y de muchacho, del que gustó y aprendió, le interesó o repudió, hasta iniciar su obra, estrenar y abrir un nuevo rumbo en la escena española con sus creaciones.

Personalidad de un escritor

Cuando Jacinto Benavente estrena por primera vez, en 1894, la comedia *El nido ajeno,* es ya un escritor conocido y que empieza a disfrutar de una cierta estimación. Ha publicado dos años antes *Teatro fantástico,* y, el año anterior, *Versos* y *Cartas de mujeres.* Y, asimismo, colabora en diversos periódicos. Destaca, en fin, como una de las figuras importantes de las nuevas tendencias que están naciendo por esas fechas en las letras españolas.

Con una situación acomodada, el joven Benavente no conoce los apuros y dificultades que agobiaron a otros muchos escritores de aquel tiempo y permanece ajeno a la bohemia desastrada que conocieron algunos de aquéllos.

---

[28] *Obras Completas,* t. VII, Madrid, Aguilar, 1953, p. 944.
[29] *Ibídem,* p. 506.

Pero sí participa intensamente en la vida literaria, entabla relaciones, asiste a tertulias, lee infatigablemente, escribe.

Su primer artículo —o uno de los primeros— lo publica Benavente en uno de los periódicos más importantes de entonces, *La Época,* que dirigía el marqués de Valdeiglesias, y en el que continuará colaborando, al igual que lo hará, en los años finales del siglo, y en los primeros del XX, en *Revista Contemporánea, Madrid cómico* (de la que es redactor-jefe en 1898), *Germinal, Vida Nueva, Revista Nueva,* y, ya en el nuevo siglo, en *Electra, Alma Española, Helios...* Y llega incluso a crear una revista, *La Vida Literaria,* cuyo primer número aparece el 7 de enero de 1899 y de la que será director hasta el año siguiente.

Posteriormente, colaborará también en periódicos tan importantes como *El Imparcial, ABC...* "Desde *Los Lunes del Imparcial* y desde *la tercera* de *ABC,* no hubo apenas tema de relieve que escapase a su perspicacia."[30]

Muchos años después, volverá a publicar en el diario *ABC.* Su primer artículo en esta nueva etapa se titula "La lección del comediante" y aparece el 18 de noviembre de 1947. Pocos días después, el 28 de noviembre, publica otro, "Al dictado", en defensa del mariscal Petain, que obtiene gran resonancia. Es una de las escasísimas ocasiones en que el autor, tras de su nombre al pie del trabajo, indica: *Premio Nobel de Literatura.*

El artículo obtendrá el Premio Mariano de Cavia. La concesión suscita cierta polémica. Algunos consideran que una personalidad como la de Benavente no debe concurrir a estos certámenes... El propio escritor dice, en una carta:

> ...Conste que ni yo he enviado mi artículo al concurso, ni sabía que tal concurso se decidiría ahora, ni recordaba

---

[30] Jacinto Benavente: *Las terceras de ABC.* Selección y prólogo de Adolfo Prego. Madrid, Edit. Prensa Española, 1976, p. 10 del prólogo.

siquiera si mi artículo era del año 46 o ya del 47; ya que empecé mi colaboración en *ABC* a fines de año. Si alguien ha presentado el artículo sin yo saberlo, soy el primero en lamentarlo. Ahora, pongámonos en lo peor, en que yo lo hubiera enviado; no veo que haya delito, falta ni siquiera indelicadeza en ello...[31]

La colaboración de Jacinto Benavente en la prensa fue muy amplia a lo largo de su vida y numerosos artículos suyos aparecidos en diversos periódicos no han sido incorporados a la edición de obras completas.

A propósito de esta labor periodística y su significación en el conjunto de la creación benaventiana, es muy certero el comentario de Adolfo Prego:

No fue nunca Benavente un autor dedicado exclusivamente a la gran pasión de su vida. Fue un escritor y un periodista, atraído también por los hechos pequeños o grandes, por los fenómenos colectivos y sucesos de valor individual que generalmente delimitan el gran campo en que actúan el interés y la curiosidad de los escritores. Se da en este caso la circunstancia de que para comprender en su totalidad al Benavente autor y dramaturgo, es imprescindible conocer al Benavente escritor, conferenciante, comentarista de la actualidad, porque es precisamente en esa sección donde encontramos la prueba más convincente de que las comedias y las tragedias que salieron de su pluma procedían de una mente y una sensibilidad representativa de aquella disposición intelectual hacia todo cuanto acontecía a su alrededor.[32]

La *Real Academia Española* y el *Premio Nobel*

En 1912 Benavente es elegido, por mayoría absoluta, miembro de la Real Academia Española, en la vacante

---

[31] En carta dirigida a José Montero Alonso. Cfr. de este autor su libro ya citado *Jacinto Benavente. Su vida y su teatro,* ed. cit., pp. 317-318.

[32] Prólogo a *J. Benavente: Las terceras de ABC,* ed. cit., p. 7.

producida por el fallecimiento de don Marcelino Menéndez Pelayo. Le han propuesto los académicos José Echegaray, Jacinto Octavio Picón y José Rodríguez Carracido. Para tomar posesión de su plaza —el sillón designado con la letra L— el nuevo académico debe, como es preceptivo, leer en sesión pública su discurso de ingreso. Sin embargo, el tiempo transcurre sin que Benavente cumpla el obligado trámite. Y no escribe el discurso ni lo escribirá nunca. "Pensar en hacerlo, eso sí que lo pensé. El tema, no. Hubiera sido, indudablemente, sobre el teatro."[33] Transcurren los años y, en septiembre de 1939, Benavente escribe al secretario de la corporación, Julio Casares, para pedirle que se declare vacante su plaza: "...dada mi edad y mi inutilidad para las actividades académicas (no sólo para ellas, por desgracia) mi propósito es proponer a la Academia que declare vacante mi puesto, que hoy puede ocupar más dignamente cualquier otro".[34] Los años continúan pasando hasta que, en 1946, José María Pemán, director entonces de la Academia, propone que se nombre a Benavente académico de honor y quede así vacante su plaza. El escritor, cuando conoce el acuerdo, comenta bienhumoradamente: "...cuando lo que debieron hacer fue echarme por pesado..."

Académico electo de la Española de la Lengua en 1912, diez años después se le será otorgado el Premio Nobel de Literatura. Es así Benavente el segundo escritor español que recibe este galardón. El primero lo había sido, en 1904, también un autor de teatro: José Echegaray.

En 1922 Jacinto Benavente está en América con la compañía de la actriz Lola Membrives que recorre diversos países representando obras del comediógrafo. Y es en la Argentina, en un lugar denominado Rufino, cerca de la ciudad de Mendoza, donde recibe un telegrama en el que se le comunica la concesión del Premio

[33] "Conversación en tres actos con el Nobel don Jacinto", en el semanario *El Español,* junio de 1953.
[34] En José Montero Alonso: ob. cit., p. 216.

Nobel. La noticia llega a España el día 10 de noviembre. El viaje de Benavente por América se prolongará largamente y dará ocasión para que el nuevo Premio Nobel español reciba multitud de homenajes y muestras de admiración. Uno de los actos más brillantes es el celebrado, el 19 de marzo de 1923, en la Universidad estadounidense de Columbia, con una recepción organizada por el Instituto de las Españas y la Asociación de Maestros de Español. Interviene para ofrecer el homenaje el profesor Federico de Onís.

Pocos días después, el dramaturgo recibe el título de hijo adoptivo de Nueva York y es declarado huésped de honor de la ciudad. Cuando vuelve a Madrid se le tributa un homenaje en el Ayuntamiento de la capital, presidido por el rey Alfonso XIII, quien impone al escritor la Gran Cruz de Alfonso XII. Asimismo, se le entrega una bandeja de plata donde consta el nombramiento de hijo predilecto de su ciudad. Sin embargo... aún no han transcurrido dos años cuando el mismo Ayuntamiento le reclama —indebidamente— el pago de una deuda correspondiente a la empresa arrendataria del Teatro Español, empresa de la que había formado parte, pero tiempo atrás. Y el escritor devuelve aquella bandeja de plata... Muchos años después, en 1946, a continuación de otro viaje a tierras americanas, Benavente es objeto de numerosos homenajes, entre ellos la entrega de la medalla de oro de la capital de España. En el acto celebrado el autor recuerda, en su intervención, el episodio acontecido y concluye: "Esperemos que esta vez, como en las bodas deshechas, no tengamos que devolvernos las cartas..."[35]

El intelectual y la política

Con el título de "La política y los intelectuales" Benavente publicó una serie de cinco artículos, del 30 de septiembre al 4 de octubre de 1930, en el madrileño diario

[35] *Vid.,* J. Montero Alonso: ob. cit., pp. 310-311.

ABC.[36] En ellos está la mejor fuente para conocer lo que el escritor pensaba sobre el tema. Mas esta cuestión de las relaciones entre Benavente y la política —sus ideas, sus actitudes y posibles o aparentes contradicciones, sus manifestaciones...— ha dado lugar a muy diversos comentarios, juicios y valoraciones.

Sí es cierto que en las elecciones a las Cortes celebradas el 24 de febrero de 1918, Benavente participó como candidato del partido maurista y obtuvo, con 28.039 votos, acta de diputado por Madrid. Pero su actuación en el Parlamento fue tan nula como breve, ya que el mes de mayo del año siguiente se decretó la disolución de aquellas Cortes. Él mismo explicaría más tarde al respecto: fue un "cariñoso empeño de don Antonio Maura, que me obligó a figurar en su candidatura, sin contarme por ello entre los mauristas. Por admiración, por amistad y por gratitud lo soy todavía, sin haberme comprometido nunca a serlo".[37]

Después, Fernando Lázaro ha hecho referencia a actitudes y actuaciones contradictorias —o aparentemente contradictorias— de Benavente en los años treinta, y que acaso sean, ante todo, testimonio de un espíritu inquieto e independiente:

> En 1929 pasa varios meses en Rusia. Su postura política resulta sumamente equívoca; da pasos hacia la izquierda, pero otras veces sus actitudes parecen reaccionarias. *No está dispuesto, como tantos espíritus superiores, a dejarse encasillar;* y esto, en un medio tan virulentamente politizado como es el nuestro de aquellos años, resulta imperdonable. En 1932 estrena *Santa Rusia,* que promueve viva indignación en un sector de opinión; en 1935 irrita al otro con un discurso antirrepublicano, en Málaga.[38]

---

[36] Pueden verse en J. Benavente: *Las terceras de ABC,* ed. cit., pp. 18-46. También en el t. XI de sus *Obras completas.*
[37] *Las terceras de ABC,* ed. cit., p. 46.
[38] J. Benavente: *Los intereses creados.* Edición de Fernando Lázaro Carreter. Madrid, Cátedra, 1986 [9.ª ed.], p. 17 de la *Introducción.* La cursiva es nuestra.

Cuando, el 18 de julio de 1936, comienza la guerra civil en España, Benavente está en Barcelona. Desde esta ciudad se traslada a Valencia, donde permanecerá hasta el fin de la contienda. En zona republicana pues, a la que proclama su adhesión reiteradas veces. ¿De modo voluntario? ¿Por miedo o presiones? No importa demasiado. Una guerra, y más aún una guerra civil, siempre altera y violenta las almas. En este tiempo es cuando el escritor redacta sus interesantísimas memorias, a las que da el título de *Recuerdos y olvidos* y a las que pone fin el 1 de agosto de 1937 con las palabras siguientes:

> Que la segunda parte, que comprenderá desde el año 86 hasta el final del pasado siglo, pueda escribirla en días de paz; si es posible que la paz vuelva al corazón de los españoles, aunque haya vuelto para España. De los que sobrevivan, ¿quién no llevará para siempre en su alma un recuerdo triste? ¿Y cuántos no llevarán en su conciencia un remordimiento? Y más desgraciados, los que no lleven ni ese recuerdo triste ni ese remordimiento. ¡Pobres almas! ¡Miserables conciencias![39]

Pero el caso es que cuando, el 29 de marzo de 1939, las tropas de Franco entran en Valencia, al frente de ellas el general Aranda y éste sale al balcón del Ayuntamiento de la ciudad, a él se une Benavente, en esos momentos un hombre envejecido, trémulo, como temeroso y alegre a la vez, que, según el relato de un testigo presencial, Eduardo Conde, "poniéndose de puntillas como para alzar más la voz y ver mejor la luz, gritaba mientras sonreía y lloraba: ¡Viva España! ¡Viva España!."[40]

Al poco tiempo el escritor reanuda su actividad, estrena, viaja... Y recibe múltiples muestras de estimación, homenajes, condecoraciones... Que se sucederán hasta el final de su existencia. No parece, pues, que

---

[39] J. Benavente: *Recuerdos y olvidos,* ed. cit., p. 803.
[40] En *El Español* del 4 de mayo de 1946.

tenga demasiado sentido incluir al autor, como en algún caso se ha hecho, en "el bando vencido".[41]

Lo que Benavente pensaba a propósito de las relaciones entre los intelectuales y la política lo había dicho mucho antes, en los artículos ya citados de 1930:

> ...justamente lo que más vale, lo que más debiera estimarse en el intelectual, hombre de ciencia, literato o artista, que es su independencia, la lealtad de sus juicios, es lo primero que los políticos y cada grupo social por su parte quisieran comprar al intelectual, a cambio de halagos o de ganancias. No se paga ni se obsequia al escritor por su talento, sino por los servicios que de su talento se solicitan. Por esta razón, ningún hombre de verdadero talento puede estar nunca al lado de ningún político.[42]

"... y después..."

En el verano de 1954, cuando Benavente está muy próximo a cumplir 88 años, su salud se va debilitando progresivamente. Deja de salir de casa, aunque su mente continúa lúcida, despierto su ingenio. Su única distracción ya es la lectura de los periódicos —"para enterarme de cómo estoy"—, de libros. Mucho tiempo atrás, un escritor y periodista, Enrique Estévez-Ortega, le había preguntado en un reportaje: —"¿Cuál es su distracción favorita?" Y él contestó de inmediato, sin vacilar: "—La lectura".[43] Transcurren así los días, con altibajos en el estado del anciano autor. El miércoles 14 de julio se levanta temprano, se viste y se sienta en el sillón de costumbre. Lee, al igual que hace siempre, los periódicos de la mañana y algunas páginas de un libro: *Diario*

---

[41] *Vid.*, el diario *ABC* del 27 de noviembre de 1993 (Sección *Cartas al director*).

[42] *Las terceras de ABC,* ed. cit., pp. 27-28.

[43] E. Estévez-Ortega: "Los escritores ante sus obras. Jacinto Benavente", en la revista *Nuevo Mundo*, n.º 1732, 1 de abril de 1927.

de los Goncourt... hasta que interrumpe la lectura y parece descansar, iniciar un sueño y su cabeza se abate levemente. Es la una y diez minutos de la tarde. Don Jacinto ha entrado en el sueño definitivo.

En unos versos suyos había dicho:

> Por mortaja quiero el sayal
> franciscano. El Santo de Asís
> es buen amigo mío.
> Hemos reído y hemos jugado juntos
> por caminos de luz; esos caminos
> de los sueños, que se abren
> entre círculos de luz,
> colores astrales.
> Entre mis manos poned una cruz,
> y una rosa..., y después...

Al día siguiente se verifica el entierro. En los siguientes todos los periódicos y revistas dedican páginas a la evocación de la vida y la obra del autor desaparecido. Y un escritor hispanoamericano —peruano— afincado en España, Felipe Sassone, traza un expresivo retrato de quien había sido gran amigo suyo:

...Tenía el cuerpo menudito, el ánimo fuerte, el entendimiento múltiple, el ingenio agudo, el corazón ancho y el alma grande. Fue primero un Silvano que tañía su flauta en el solo carrizo de un cigarro puro; fue después, enroscado el mostacho, puntiaguda la barba, de olivo el rostro y de azabache los ojos, un antiguo caballero español sin gola y sin espada; pero con una daga florentina, triangular la punta, y el puño como si lo hubiera cincelado Benvenuto; fue después, mondada la testa cercada de canas, sin guías el bigote, manso, dulce y seráfico como el Poverello de Asís. Jugó con el diablo, se burló de él y se fue con Dios. Era todo oídos, y murió sordo, como Beethoven, lleno de melancolía y armonía. Fue la carátula íntegra, risueña y llorosa, antigua y nueva del teatro español...[44]

[44] *Cuadernos Hispanoamericanos,* n.º 204, Madrid, diciembre 1966, p. 525.

Un teatro renovador, extenso y diverso

Cuando el escritor muere, el 15 de julio de 1954, se cierra definitivamente una época del teatro español. Época que él mismo había iniciado, dando comienzo así a nuestro teatro contemporáneo y renovando la escena mediante una sencillez y naturalidad plenas de matices, que se manifiestan tanto en la acción como en el diálogo, con claro predominio de la palabra. El propio autor afirmaría más adelante: "En las obras dramáticas, como en la Creación, el principio es el verbo, esto es, la palabra."[45]

La existencia teatral benaventiana se extiende desde el 6 de octubre de 1894, fecha del primer estreno, hasta el 23 de abril de 1954, fecha del último en vida del autor, en el madrileño teatro Infanta Isabel, de la comedia *El marido de bronce*. Ya póstumas se estrenarán las obras *Por salvar su amor,* en 1954, y *El bufón de Hamlet,* en 1958. Y, en tan largo período de tiempo, un total de ciento setenta y dos títulos. Una creación dramática, pues, muy extensa y reveladora de una fecundidad que permite recordar la de los grandes autores de comedias de la Edad de Oro.

Una obra fecunda, y, también, diversa: de géneros, de temas, de ambientes, de personajes, de lenguaje... Y si toda la creación dramática del escritor revela la naturaleza consustancial al autor de teatro, rasgo específico suyo es la perfección del diálogo. En éste se apoya y vive fundamentalmente la producción benaventiana. Un diálogo que es cauce para la expresión esteticista de comienzos de siglo, como en *La noche del sábado,* y para la plástica llaneza de *Señora ama* y de *La Malquerida,* y para el discreteo ingenioso de salón y la fina ironía de tantas comedias... Con un sentido rítmico de la prosa que Benavente poseía magistralmente. Un hispanista alemán, Carlos Vossler, escribió a este respecto exactas palabras:

---

[45] *Obras Completas,* t. VII, p. 1204.

Un encanto especial que tiene la obra de Benavente es de difícil traducción: el ritmo de su diálogo. El propio Benavente ha dicho que todo el secreto del diálogo está en el ritmo, y que por eso ha prestado atención extrema al ritmo del pensamiento y del corazón. Este ritmo de la prosa del diálogo es su mejor secreto.[46]

Clasificaciones y cronología

Obra tan amplia y variada resulta difícil de clasificar de manera precisa y comprensiva. No obstante, se han hecho diversas clasificaciones, útiles para ordenar y singularizar aspectos fundamentales de la producción benaventiana.

Así, en 1944, Ángel González Palencia distingue, sencillamente, entre las comedias *de costumbres (El nido ajeno, Rosas de otoño)* y las *simbólicas (Los intereses creados, La ciudad alegre y confiada).*[47]

En el mismo año, Eduardo Juliá propone[48] una clasificación más detallada que, aun con limitaciones y reparos, será seguida por gran número de estudiosos de Benavente. Parte Eduardo Juliá de la distinción efectuada ya por Torres Naharro, en el siglo XVI, entre comedias *a noticia* y comedias *a fantasía,* y distingue asimismo entre *comedias-diálogo* y *comedias-acción,* según predominen el primero o la segunda, aunque en el teatro benaventiano el diálogo constituye siempre un elemento fundamental. Estas divisiones —ya la de Torres Naharro también— son asimilables, más ampliamente, a las de *realismo* e *idealismo* en la literatura, y de novela *realista* o *ilusionista.* La propuesta de Eduardo Juliá es, en esquema, la siguiente:

---

[46] Karl Vossler: "Jacinto Benavente", en *Escritores y poetas de España.* Madrid, Colección Austral, 1944, p. 174.

[47] A. González Palencia: "Don Jacinto Benavente", en la revista *Tic-Tac,* Madrid, noviembre, 1944.

[48] E. Juliá Martínez: "El teatro de Jacinto Benavente", en *Cuadernos de Literatura Contemporánea,* Madrid, CSIC, 1944, núm. 15, pp. 165-218.

I. Comedias-acción [aunque el diálogo siempre es importante], "a noticia":
   a) de costumbres rurales: *De cerca, Señora ama, La Malquerida.*
   b) de sátira social:
      1. de la clase popular: *Modas, Todos somos unos.*
      2. de la clase media: *Lo cursi, Por las nubes.*
      3. de la aristocracia: *Gente conocida, La escuela de las princesas.*
      4. bocetos y humorismos: *Sin querer.*
   c) de caracteres: *El nido ajeno, Rosas de otoño, Pepa Doncel.*

II. Comedias-diálogo, "a fantasía":
   a) teatro infantil: *El príncipe que todo lo aprendió en los libros, El nietecito, Y va de cuento.*
   b) teatro humorístico: *Y amargaba, El susto de la condesa.*
   c) teatro simbólico: *La noche del sábado.*
   d) teatro psicológico: *Nieve en mayo, La melodía del jazz-band.*
   e) teatro patriótico: *La ciudad alegre y confiada.*
   f) "commedia dell'arte": *Teatro fantástico, Los intereses creados.*

III. Traducciones:
   Don Juan, de Molière; *Richelieu,* de Bulwer Lytton; *El destino manda,* de Paul Hervieu; *El rey Lear,* de Shakespeare, etcétera.

Si la clasificación precedente es útil, sin duda, al agrupar y poner de relieve perfiles sobresalientes de la copiosa producción de Benavente, tampoco cabe negar sus insuficiencias, ya que, muy a menudo, unas mismas obras —comedias, dramas, sainetes, piezas para niños— participan de diferentes aspectos: psicología, simbolismo, crítica social, costumbrismo, afán docente. Y, siempre, con un valor esencial de la palabra.

En fechas más cercanas, Francisco Ruiz Ramón ha efectuado una distinta clasificación, según los lugares donde transcurre la trama, "que poseen auténtica función estructuradora tanto de la acción como de los personajes y de los diálogos y del ambiente que condiciona los anteriores elementos".[49] Distingue así entre:

a) interiores burgueses ciudadanos: *El nido ajeno.*
b) interiores cosmopolitas: *La noche del sábado.*
c) interiores provincianos: *La gobernadora.*
d) interiores rurales: *Señora ama.*

Pero la caudalosa extensión y los entrecruzamientos del texto de Benavente se escapan, parcialmente, como es lógico, por otra parte, a los encasillamientos rigurosos. Es múltiple la amplitud y diversidad de sus temas, de sus géneros (comedia dramática, comedia de magia, comedia de polichinelas, comedieta, drama, diálogo, sainete, monólogo, juguete cómico, zarzuela, cuadro de Historia, escenas de la vida moderna, novela escénica, opereta, humorada, poema escénico, chascarrillo en acción, cuento, cuento de hadas, cine-drama, de acuerdo con los términos definitorios que emplea el escritor); de los personajes, de los argumentos y conflictos, de los ambientes y lugares, desde el salón en almoneda de *La comida de las fieras,* al café romántico de *La losa de los sueños,* desde el escenario rural de *Señora ama* a la estancia lujosa de *El collar de estrellas,* desde el circo de *La fuerza bruta* al barco de *La Mariposa que voló sobre el mar.* Todo un mundo, en fin, rico de observación e imaginación, que es expresado en forma dramática o teatral con un lenguaje pleno de nobleza literaria.

Benavente estrena, según se recordó ya anteriormente, a partir de 1894 y hasta 1954. Sesenta años, por tanto, de presencia suya en los escenarios españoles. Tan largo período de tiempo así como la capacidad creadora del autor explican el extenso volumen de su producción. Y sus estrenos son especialmente numerosos en las tres

[49] Francisco Ruiz Ramón: *Historia del teatro español. Siglo XX,* Madrid, Cátedra, 1975 [2.ª ed.], p. 27.

primera décadas de nuestro siglo. Algunos títulos sobremanera destacables y que supusieron, en la mayoría de los casos, éxitos importantes, son, agrupados por décadas, los siguientes:

1894-1900: *El nido ajeno, Gente conocida, El marido de la Téllez, La comida de las fieras, La gata de Angora.*
1901-1910: *Lo cursi, La Gobernadora, El primo Román, La noche del sábado, Al natural, El dragón de fuego, La princesa Bebé, Rosas de otoño, Cuento inmoral, Los malhechores del bien, Más fuerte que el amor, Los intereses creados, Señora ama, La escuela de las princesas, El príncipe que todo lo aprendió en los libros.*
1911-1920: *La losa de los sueños, La Malquerida, El collar de estrellas, La propia estimación, Campo de armiño, La ciudad alegre y confiada, Los cachorros, La Inmaculada de los Dolores, La honra de los hombres, Una pobre mujer, La Cenicienta, Y va de cuento.*
1921-1930: *Lecciones de buen amor, Alfilerazos, La mariposa que voló sobre el mar, El demonio fue antes ángel, Pepa Doncel, Vidas cruzadas.*
1931-1940: *La duquesa gitana, Los andrajos de la púrpura, El pan comido en la mano, Cualquiera lo sabe, Lo increíble, Aves y pájaros.*
1941-1950: *Abuelo y nieto, Y amargaba..., La culpa es tuya, La enlutada, Don Magín el de las magias, Nieve en mayo, Titania, La Infanzona, La ciudad doliente, Abdicación, Divorcio de almas, Su amante esposa, Al amor hay que mandarle al colegio.*
1951-1954: *La vida en verso, El lebrel del cielo, Servir, Almas prisioneras, Caperucita asusta al lobo, Hijos, padres de los padres; El marido de bronce.*

Desde sus comienzos y hasta los años veinte Benavente recorre los principales rumbos de su creación dramática y da a conocer la mayoría de sus obras más representativas. Después y ya hasta el final de sus días, el escritor aprovecha las fórmulas empleadas con anterioridad y alcanza repetidamente triunfos notabilísimos, como incluso su último estreno, el de la comedia *El marido de bronce,* a la que Gonzalo Torrente Ballester calificó, en una de sus críticas teatrales, de "pequeña obra maestra".[50]

Algunos elementos y aspectos del teatro de Benavente

Rasgo fundamental de este teatro es su valor como documento de una época, de un tiempo determinados. Hombres y mujeres, hábitos, conflictos, sentimientos, ideas de más de medio siglo de la vida española son observados y retratados por el escritor con una visión entre irónica y comprensiva.

Y, junto al retrato de la sociedad de su tiempo —de un sector de esa sociedad, la burguesía acomodada de la que él formaba parte—, su crítica también, una crítica amable casi siempre, alfilerazos que casi nunca hacen sangre, y cuya agudeza e intencionalidad quedan edulcoradas la mayoría de las veces por una suave ironía, por el ingenio que hace sonreír, por un fondo de escepticismo cuya posible amargura no llega a la superficie.

Probablemente, no pretendió cambiar las cosas ni ser un reformista, acaso por desengaño o falta de fe en la condición humana, pero no renunció a un afán pedagógico, educativo, docente, que se hace palpable en muchas de sus páginas, teatrales y no teatrales, como él mismo reconocía:

> De mis obras han dicho algunos críticos que no era posible deducir por ellas la verdad de mi pensamiento: tales contradicciones encontraban. Aparte de que, en el género dramático, y menos cuanto más dramático sea, no hay razón para imputar al autor las contradicciones ni los pensamientos ni menos las acciones de sus personajes; si, entre otros muchos defectos, alguno capital hay en mis obras, es el de transparentarme demasiado a través de mis personajes. Culpa es de esto *mi monomanía educadora. En mis*

[50] En el diario *Arriba,* Madrid, 25 de abril de 1954.

obras tal vez se abuse del sermoneo educativo; al reflexionar sobre ellas pasado el tiempo, lo deploro. Mis obras no han ganado mucho con ello y la educación de mis contemporáneos tampoco.[51]

Otros rasgos son la sátira, frecuente y aguda pero templada; el ingenio mezclado con el humor; el gusto por un cierto simbolismo; la finura en el análisis psicológico; el lenguaje claro y cuidado y en el que abundan las frases de complacido afán y carácter sentenciosos, o de máxima, o de reflexión moral...

Se ha insistido, mucho, en poner de relieve la sátira y la ironía benaventianas, pero no cabe olvidar los valores poéticos,[52] emotivos, de ternura e ideal, que alientan también en sus escritos: "...Hay algo —afirmó José María Pemán— que Benavente no contradijo ni traicionó nunca: su fe en el amor, en la bondad, en la lealtad, en el perdón y la misericordia como vínculo social".[53]

Esta compleja variedad de aspectos adquiere forma y expresión en una amplísima galería de personajes —cerca de dos mil—, tan diferentes como ricos de humanidad y hondura psicológica y entre los que sobresalen singularmente los de mujer.[54]

Y, junto a su teatro, lo que acerca de éste escribió Benavente: sobre autores, actores, estrenos; en torno a la formación del actor, en su muy interesante *Plan de*

---

[51] *Horas de sol,* en *Obras Completas,* Madrid, Aguilar, 1958, t. XI, p. 414. La cursiva es mía.

[52] "Ahí está —escribió Luis Guarner— la poesía del teatro de Benavente: en haber sabido llegar al alma de los hombres y de las mujeres, a esas verdaderas almas humanas, y en haber encontrado en ellas el sutil perfume de una poesía verdadera, que es la única razón de la vida." ("La poesía en el teatro de Benavente", *Cuad. de Lit. Contemp.,* CSIC, Madrid, 1944, núm. 15, p. 226.)

[53] José María Pemán: "Hacia una valoración ideológica de Benavente", *ABC,* 24 de julio de 1954.

[54] *Vid.* el *Índice de personajes de las obras de Benavente* en el t. XI de *Obras Completas,* Madrid, Aguilar, 1958, pp. 831-1123.

estudios para una escuela de arte escénico;[55] sobre lo que pensaba que debía ser el teatro: medio o instrumento de ilusión y de evasión, con un concepto asimilable, pues, a la función de la literatura toda como evasión también:

> Palacio de la Ilusión. Yo no desearía otro nombre para un teatro en donde todo fuera evasión de la realidad; en donde el espectador, al entrar, como su abrigo en el guardarropa, dejara a la puerta su "yo" cotidiano para olvidarse de su vida, de sí mismo.[56]

Contó durante muchos años, casi desde sus comienzos hasta el final de sus días, con el favor del público: "...gozó de una adhesión tumultuosa y mayoritaria que englobaba políticos y académicos, gentes de toda el área de habla castellana, empresarios, actores y público".[57]

En la actualidad, más de cuarenta años después de su muerte, cuando este autor llena un capítulo de la historia del teatro español y ha recibido y recibe juicios adversos y prolongados silencios, las representaciones, espaciadas, de algunas obras suyas —*Los intereses creados, La Malquerida, Rosas de otoño...*— continúan atrayendo la asistencia y suscitando el aplauso de numerosos espectadores.[58]

Incurso Benavente en una línea teatral uno de cuyos más lejanos antecedentes se halla en las comedias de Leandro Fernández de Moratín,[59] fue ejemplo a su vez

---

[55] En *Ob. Compl.*, ed. cit., t. VII, pp. 1189-1206.

[56] *Plan de estudios para...*, ed. cit., t. VII, p. 1206.

[57] E. Llovet, "Jacinto Benavente y su circunstancia literaria y social", en *Cuadernos Hispanoamericanos,* Madrid, diciembre, 1966, núm. 204, p. 521.

[58] Cuando hace pocos años, la actriz Amparo Rivelles repuso e interpretó, en el Teatro Alcázar, *Rosas de otoño,* esta obra fue, durante varios meses, la de más alta recaudación de todos los escenarios madrileños, según los datos de la Sociedad de Autores.

[59] Por ello ha podido afirmar un comediógrafo actual tan destacado como José López Rubio, a propósito del autor de *El*

para numerosos comediógrafos que aceptaron y aprovecharon el magisterio de las creaciones benaventianas: Gregorio Martínez Sierra, Felipe Sassone, Honorio Maura, José María Pemán, Joaquín Calvo Sotelo, y, en general, los autores que han concedido primacía al diálogo, al valor esencial de la palabra en la comedia. Acaso, en la historia de nuestro teatro sólo ha habido, en síntesis, tres rumbos: 1) teatro poético, romántico: Gil Vicente, Lope, Calderón, Zorrilla, incluso Lorca; 2) teatro creador de caracteres, de posibilidades esperpénticas y con un valor de síntesis de todas las artes que nace en *La Celestina* y renace en Valle-Inclán; y, 3) un tipo de teatro que surge con Iriarte y Moratín y llega a nuestro siglo con Benavente —renovador frente al teatro inmediatamente anterior a él— y los numerosos autores de su escuela.

Su generación y filiación literarias

Nacido el mismo año —1866—, por curiosa casualidad, en que vieron la luz primera Ramón del Valle-Inclán y Carlos Arniches, Benavente, era, por tanto, dos años menor que Unamuno (n. 1864), y unos pocos mayor que Baroja (n. 1872), Azorín (n. 1873), Manuel (n. 1874) y Antonio (n.1875) Machado, Maeztu (n. 1875)... en coincidencia generacional, pues, con los escritores modernistas y noventayochistas, que supusieron, con su labor, una renovación de las letras hispanas. En historias de la literatura y en estudios y monografías suele incluirse a Benavente dentro del Modernismo, y en esta idea abundó Azorín, quien, no obstante, apunta en 1914 que el autor de *La Malquerida* "formaba ya grupo aparte",[60] para referirse

_____

sí de las niñas, que "de él nace nuestro teatro mejor nacido de siglo y medio" (*Ínsula,* núm. 161, p. 4).

[60] Azorín: *La Generación del 98.* Edición de Ángel Cruz Rueda. Biblioteca Anaya, Madrid, 1961, p. 28.

quizá a la actitud independiente y ajena a sectores determinados del comediógrafo. A ese respecto Rubén Darío había escrito, en el tránsito del siglo XIX al ·XX:

> ... Jacinto Benavente. En toda esta *débacle* con que el decimonoveno siglo se despide de España, su cabeza, en un marco invisible, sonríe. Es aquél que sonríe. Mefistofélico, filósofo, se defiende en su aislamiento como un arma, y así converse o escriba, tiene siempre a su lado, buen príncipe, un bufón y un puñal. Tiene lo que vale para todo hombre más que un reino: la independencia.[61]

Largo tiempo después —1954—, Azorín publica un artículo, "Esquema de Benavente", en el que se refiere a este último en su relación con el Modernismo:

> Actitud de Benavente ante el modernismo.— Ironía de la marquesa, en la comedia *Al natural,* 1903, al hablar del Modernismo.— Frase sobre el modernismo, en el diálogo *Elección de traje,* que figura en el libro *Vilanos,* 1905: "Huye del Modernismo y de sus peligros".— Y, sin embargo, Benavente, por su sensibilidad, por su filosofía, puede ser considerado, en sus principios, como un modernista. Su página *Intelecto de amor,* en la [...] *Revista Ibérica* de 5 de agosto de 1902, es un sutil compendio de modernismo.[62]

Estampas y elementos característicamente modernistas se dan en algunas obras de Benavente: en *Teatro fantástico* (1892), una de cuyas piezas integrantes se titula *Modernismo* ("La cuestión del modernismo —dice en la obra su autor— es viejísima. En cualquier momento hay modernismo, como hay vejez y juventud en el mundo").[63] Y en *La comida de las fieras* (1898), donde uno de los personajes, Teófilo Everit, interpretado por Valle-Inclán en la noche del estreno, es representativo de la nueva tendencia; en *La noche del sábado* (1903), incluso en *Los*

---

[61] Reproduzco de J. Montero Alonso, ob. cit., p. 108.
[62] Azorín: ob. cit., p. 80.
[63] *Ob. compl.,* ed. cit., t. VI, p. 91.

intereses creados... Y, sobre todo, en su concepción del modernismo como un gran anhelo de renovación.

Escritor modernista, sí; pero ¿tan sólo esto? Benavente tampoco fue ajeno a las inquietudes e ideas que se consideran propias del 98: preocupación y pasión españolas, actitud pesimista y crítica ante una realidad que no gusta... Así, por ejemplo, cuando escribe:

> Tan vulgar tópico era el de la alegría española, que, por extremosa reacción, han sido muchos los escritores a rectificarle con la contraria afirmación de nuestras tristezas. Yo no sé si seremos alegres; pero tristes, de ningún modo. El pueblo español no es un pueblo triste; es un pueblo duro, que no es lo mismo.[64]

Y el convencimiento de que es necesaria una intensa tarea educadora, que ha de comenzar en la escuela, una escuela a la que puedan y deban llegar todos:

> Mientras se discute el presupuesto de enseñanza y el señor ministro de Instrucción Pública se permite finísimas ironías a propósito de la nueva Asociación de Cultura, yo evoco una vez más el recuerdo de aquella escuela de aldea que avergonzaría en el último aduar de Marruecos. [...] ¡Y aún se discute y se regatea en el presupuesto de enseñanza! Sí, es verdad; no debe pensarse en pensiones para estudios en el extranjero, en grandes centros de enseñanza superior, mientras exista una, una sola de esas escuelas de pueblo, que darían ganas de llorar si no las dieran de matar...[65]

También en su teatro, sobre todo en sus obras iniciales y en las que corresponden a las dos primeras décadas del siglo actual, realiza observaciones y censuras asimilables al espíritu del 98. Como ha escrito Enrique Llovet, "Benavente es un hombre de 1898 que se siente solidario de Unamuno, de Valle-Inclán, de Baroja, de Azorín. Sucede, claro está, que el escenario no permitía entonces

---

[64] *De sobremesa,* en *Ob. Compl.,* t. VII, p. 1075.
[65] *De sobremesa,* en *Ob. Compl.,* VII, 410-411.

actitudes críticas radicales. Benavente mostró su disgusto a su manera; acentuó su disconformidad por vía estética y se 'modernizó' sin comprometer su éxito".[66]

En la actualidad, cuando se consideran imprecisos los límites entre Modernismo y 98 e incluso se niega la existencia de este último, adquiere cada vez mayores sentido y consistencia el juicio del escritor sobre el Modernismo como un gran movimiento renovador, y su autodenominación de *novecentista:*

> ...sí creo que la mayoría de los jóvenes de ahora —afirma en 1930— va un poco descaminada, y *ellos, que con tanto desprecio hablan de los novecentistas, poco han hecho con despreciarnos* si todavía no han conseguido sustituirnos en el favor del público.[67]

Y en análogas ideas y reproches insiste en otro artículo publicado a finales del mismo año de 1930:

> Estos muchachos de ahora, *para los que nada valemos ni significamos los novecentistas,* no saben lo que hemos tenido que luchar con el público y con la crítica para abrirles a ellos el camino.[68]

Elogios, críticas, valoraciones

Las primeras publicaciones de Benavente no pasaron inadvertidas, su nombre fue conocido y estimado en seguida y sus estrenos pronto alcanzaron el éxito, y los elogios, muy significativos algunos, surgieron madrugadoramente. Como el muy matizado, y con reparos, de Pío Baroja en su crítica sobre *Alma triunfante:*

> No soy un entusiasta de Benavente; lo confieso [...] *Alma triunfante,* como obra teatral, creo que está bien

---

[66] E. Llovet, art. cit., p. 523.
[67] *Las terceras de ABC,* ed. cit., pp. 32-33. La cursiva es mía.
[68] *Las terceras de ABC,* ed. cit., p. 47. La cursiva es mía.

hecha; como manifestación de un espíritu, es débil. [...]
Que en toda la obra se ve el reflejo de un talento; que las
palabras que envuelven las ideas son propias y acertadas;
que la constitución es ingeniosa, ¿para qué decirlo? [...] No
creo que en *Alma triunfante* encontrará nadie reminiscen-
cias de obras extranjeras.[69]

Como el de Antonio Machado, en 1904:

Jacinto Benavente ha publicado el primer tomo de su
Teatro. [...] Benavente es, a mi juicio, la más perfecta y
madura expresión de una juventud que ha desanudado
valientemente los dos lazos que ahogaban el arte: la tradición
y la autoridad de los dómines. Benavente fue el primero,
quizá, que al empezar su gloriosa carrera supo desdeñar las
corrientes que invadían el arte, muy especialmente el teatro,
los cálculos más o menos hábiles sobre la torpe sensibilidad
del público nutrido de secular bazofia. [...] Benavente es hoy
el único que tiene verdaderos éxitos. Tal ha cambiado el
público. [...] yo veo, o creo ver, como lo esencial en la obra de
Benavente, un algo de amor o de piedad por las cosas inmar-
cesibles, un deseo constante de señalar esa indestructible
sonrisa que brota aún del fondo de las mayores tristezas y
que es siempre ansia de luz, de juventud y de alegría.[70]

Y los elogios de Azorín, reiterados en diversas fechas,
como la afirmación siguiente, hecha en 1926:

En la generación del 98, la figura de Benavente es acaso
la primera.[71]

Y, en 1908, las palabras, más contenidas y restrictivas
de José Ortega y Gasset:

[69] Pío Baroja: *Crítica arbitraria,* Madrid, Cuadernos
Literarios de "La Lectura", 1924, pp. 54-58. [La crónica se
publicó en *El Globo,* el 3 de diciembre de 1902.]

[70] A. Machado: *Poesía y prosa,* t. III, pp. 1466-1468, ed. de
Oreste Macrì, Madrid, Espasa Calpe, 1989.

[71] En *ABC* del 25 de agosto de 1926, recogido en *Obras
Completas,* t. VIII, p. 882. Azorín escribió sobre Benavente en
varias ocasiones.

Hoy, por ejemplo, es imposible que una labor de alta literatura logre reunir público suficiente para sustentarse. Sólo el señor Benavente ha conseguido hacer algo discreto y, a la vez, gustar, a un público.[72]

Rotunda es, en cambio, la alabanza de Unamuno en 1910:

Soy uno de los que creen que nuestro Benavente no tiene hoy quien le supere como autor dramático; que su obra vale tanto, por lo menos, como la de Sudermann o Hauptmann, y, sin embargo, Benavente no goza en Europa del crédito de que gozan Hauptmann o Sudermann, ni es traducido como éstos, y ello se debe ante todo a que España no puede poner detrás de *Los intereses creados,* de Benavente, los cañones y los acorazados que Alemania pone detrás de *La campana sumergida,* de Hauptmann.[73]

Sin embargo, Benavente se lamentó, en más de una ocasión, de la actitud de la crítica —de los críticos de teatro— y llegó a decir, con exageración, sin duda:

¿Críticas? No hay escritor de prestigio en España que no se haya metido conmigo y con mis obras. Meterse con mis obras hace *intelectual.*[74]

Entre los juicios adversos sobre las obras benaventianas uno destaca de modo singular: el de Ramón Pérez de Ayala. Éste llegó a hacer afirmaciones como las siguientes:

---

[72] *Obras Completas,* t. I, Madrid, Revista de Occidente, 1953 [3.ª ed.], p. 106.

[73] *Obras Completas,* t. IV, Madrid, ed. Afrodisio Aguado, 1958, p. 675.

[74] "Los autores pintados por sí mismos", en *ABC*, 18 de octubre 1928. Recogido en *Las terceras de ABC,* ed. cit., p. 16. Otras veces no parece preocuparse en exceso por la crítica: "Para que no le importe a uno mucho de la crítica, por dura que sea, no hay más que pensar en lo poco que hemos de durar nosotros, nuestros críticos, nuestras obras y las críticas de nuestras obras".

Suponíase entonces que el señor Benavente traía la revolución al teatro español. Lo que traía era la anarquía. [...] [Su teatro es], en el concepto, justamente lo antiteatral, lo opuesto al arte dramático. Es un teatro de términos medios, sin acción y sin pasión, y, por ende, sin motivación ni caracteres, y lo que es peor, sin realidad verdadera. Es un teatro meramente oral, que para su acabada realización escénica no necesita de actores propiamente dichos; basta con una tropa o pandilla de aficionados.[75]

La inusitada dureza de las críticas de escritor tan valioso e inteligente como Pérez de Ayala suscitaron polémica, reacciones... Manuel Machado, que ejercía la crítica teatral en el diario *El Liberal,* replicó ponderadamente al autor de *Troteras y danzaderas:*

¿Crees tú que está bien considerar a Benavente como "valor negativo" para que nos quedemos por toda positividad con Arniches y los Quintero, ya que Galdós lógicamente ha de producir muy poco? ¿Te parece justo emplear no la severidad sino la saña incisiva de tu ingenio agudísimo, de tu talento fuerte, creador, por otra parte, de maravillas positivas, en desviar el juicio del público y el aplauso unánime de todos de la primera figura de nuestro teatro, hasta motejar de "flujo amorfo" el admirable lenguaje, cuajado de hondas verdades y de toda manera de gracia, que tú mismo reconoces en otro párrafo de tu artículo? ¿No crees tú, Ramón, que hay una alta moral de la crítica que debe primar a nuestras más puras y vehementes simpatías artísticas? El ataque virulento, acre, dañoso,

---

[75] *Las máscaras.* Buenos Aires, Colección Austral de Espasa-Calpe Argentina, 1948 [3.ª ed.], pp. 94 y 95. La 1.ª edición de este libro es de 1917 y en él reunió su autor una serie de artículos aparecidos antes en la prensa diaria. En la edición citada de 1948, Pérez de Ayala rectificó de modo expreso tan negativos juicios: "...declaro paladinamente que, desde una perspectiva serena, el señor Benavente se me parece, no como el autor de algunas obras excelentes, sino como una dramaturgia, todo un teatro, que en su totalidad resiste, con creces de su lado muchas veces, el cotejo con lo mejor de lo antiguo y de lo contemporáneo" (p. 14).

lanzado en una ligera crónica, desde un gran rotativo, de público universal, contra uno de nuestros más grandes prestigios literarios (¡y nos sobran tan pocos!) no es proporcionado, no es oportuno, no es "bueno" y, sobre todo, no es justo.[76]

En los años finales de la existencia del autor, sus últimos estrenos recibieron críticas mayoritariamente respetuosas y muy elogiosas algunas, aunque tampoco faltaron los juicios negativos y los ataques, de extrema dureza algunos.

Después del fallecimiento del escritor, sus obras han recibido menor atención que las de la mayor parte de sus contemporáneos, y han sido valoradas —para bien y para mal—, a menudo, desde perspectivas ajenas a lo puramente literario. Aunque también se han publicado libros, monografías, ediciones prologadas, artículos, elaborados con rigor e inteligencia.

En la actualidad parece innegable objetivamente que Benavente es figura fundamental en la historia del teatro español del siglo XX. Obras suyas como *Los intereses creados, La Malquerida, La noche del sábado, El nido ajeno, Señora ama, Rosas de otoño, La infanzona, El bufón de Hamlet...* permiten considerarle como un clásico. Aunque su teatro, ciertamente, está vinculado a una época y unas circunstancias concretas, sus verdaderos, más auténticos escenarios, se hallan en las almas de sus personajes, en problemas humanos y que, por ello mismo, alcanzan permanencia y poseen sentido perdurable.

Aguarda y requiere, ahora, un estudio hondo, minucioso, desapasionado, sin extremismos a favor o en contra. Y requiere asimismo, para su representación, unos actores que sepan *decir el texto,* que acierten a dar expresión a toda la riqueza de matices de los conflictos y diálogos benaventianos, actores que, por desgracia, no abundan en los días actuales.

---

[76] Reproduzco de Ismael Sánchez Estevan: *ob. cit.,* pp. 164-165.

II. LOS INTERESES CREADOS

Estreno y éxito

Los intereses creados, comedia de polichinelas en dos actos, tres cuadros y un prólogo, fue estrenada en Madrid, en el Teatro Lara, el día 9 de diciembre de 1907. Su autor contó en diversas ocasiones cuándo, cómo y dónde había escrito la obra: en ese mismo año, "de dos [tirones]. Antes del verano hice todo el primer acto; y el segundo, en otoño, en Madrid, en sesiones de dos horas diarias, con lapicero, en bloques de cuartillas y sin hacer apenas tachaduras".[77] Además de en la capital, redactó, parte, en Aldeaencabo, un pueblecito de la provincia de Toledo perteneciente al término municipal de Escalona. En un principio pensó situar la acción en un ambiente contemporáneo, pero luego decidió transformar los personajes actuales en polichinelas, siguiendo así la tradición de la antigua *commedia dell'arte.* Antes del estreno, durante los ensayos, había poca confianza en el éxito de la nueva comedia. "Recuerdo —evocará Benavente en 1930— que el ensayo general fue de lo más desdichado. Seguro estoy que cuantos asistieron a él pronosticaron un fracaso. Yo, por mi parte, sin temer el fracaso rotundo, sólo esperaba un mediano éxito y nunca que aquella obra pudiera ser lo que en el teatro se califica obra de público y, por tanto, de dinero."[78] Incluso el gerente del Teatro Lara, Eduardo Yáñez, no creía demasiado en la obra, y los actores tuvieron que costearse su vestuario, con la única excepción de la actriz Clotilde Domus, que interpretaba el personaje de Leandro. Pero el triunfo, a partir del estreno, fue rotundo. "La obra —cuenta su autor—

[77] *Vid.* Antonio Buero Vallejo: *"Los intereses creados,* todavía", en *Serta Philologica F. Lázaro Carreter.* Madrid, Cátedra, 1983, p. 109.

[78] J. Benavente, *Las terceras de ABC,* ed. cit., p. 47.

gustó; más el segundo cuadro. Los críticos opinaron que el tercero decaía bastante, por lo que tenía de farsa. Entonces esto de la farsa se estimaba grave pecado literario."[79] Aun con algunos leves reparos, los elogios prevalecieron en las crónicas del estreno. Así en la publicada por Ismael Sánchez Estevan, en el periódico *El Correo,* el día 10 de diciembre:

Muchas veces el público interrumpió la representación con aplausos estruendosos. En el segundo cuadro y a la conclusión de los actos, el señor Benavente salió a escena con los artistas, entre ruidosas ovaciones. En resumen: una obra admirable, una interpretación primorosa, un éxito completo [...] La noche de ayer fue excelente para el arte dramático español.[80]

En 1912, la Real Academia Española concede su Premio Piquer a *Los intereses creados,* y, en 1930, la comedia es elegida, por cincuenta mil votos, como la mejor de su autor hasta esa fecha. Benavente comentará al respecto: "¿Qué pienso yo de *Los intereses creados?* En numerosa votación fue proclamada mi mejor obra. No es cosa de llevar la contraria al público. Hoy la escribiría de otra manera; más en tono de farsa. Ya no es pecado escribir farsas; pero enemigo como soy de corregir mis obras, aunque tuviera la seguridad de mejorarlas, así durará... lo que el público quiera".[81] El 19 de enero de 1929 Benavente había cedido sus derechos como autor de esta comedia al Montepío de Actores Españoles, en una prueba más de su cariño a la profesión de actor.

Este continuado triunfo de la obra explica que, en 1918, fuese llevada al cine por una productora fundada en Santander por los hermanos Manuel y Francisco Herrera Oria. Hicieron los papeles principales en la versión cinematográfica Ricardo Puga, una vez más como Crispín; Raymonde de Back, como Leandro; Teresa Arróniz, como Silvia... Los interiores se rodaron en

---

[79] J. Benavente, *Las terceras de ABC,* ed. cit., p. 47.
[80] Reproduzco de I. Sánchez Estevan: ob. cit., pp. 105-107.
[81] J. Benavente: *Las terceras de ABC,* ed. cit., pp. 48-49.

Madrid y los exteriores también en la capital de España, en Alcalá de Henares y en Aranjuez. Más que de auténtico cine se trataba de teatro filmado que no dejaría huella.

Género y estructura

El texto de *Los intereses creados* aparece definido por su autor como *comedia,* con la especificación de *polichinelas,* y, por tanto, situada en el ámbito de la farsa. Sobre este carácter de farsa insiste en el prólogo de la obra, donde la palabra aparece hasta seis veces: "He aquí el tinglado de la antigua *farsa...*", "...la alegre *farsa*", "... más que de la *farsa,* reía el grave", "...también subió la *farsa*", "No presume de tan gloriosa estirpe esta *farsa...*", "Es una *farsa* guiñolesca, de asunto disparatado...". Farsa, sí, con toda la novedad que en 1907 suponía este género, y donde los símbolos e intenciones viven, se manifiestan en la alegre arquitectura de la farsa, la cual se expresa en un diálogo sutilísimo, pleno de agudeza, de ironía clara que desemboca, a veces, en sátira, y alcanza otras fina cadencia poética, con un regusto arcaico en ocasiones que sirve certeramente a la condición del muñeco que habla y a los perfiles de las distintas situaciones. Género este de la farsa con el que Benavente abre caminos por donde han de transitar magistralmente Valle-Inclán y García Lorca.

La sabiduría teatral de Benavente, su dominio de la arquitectura escénica se hacen patentes en el desarrollo de la acción a lo largo de los dos actos y tres cuadros de que consta *Los intereses creados.* Tres cuadros, con tres diferentes escenarios: la *Plaza de la ciudad,* en el primero; un *Jardín,* en el segundo; y, en el tercero, *Sala en casa de Leandro,* con una variación de escenarios que lleva a los personajes desde un espacio abierto —la plaza— al interior de la casa donde se alojan Leandro y Crispín. Cambio, pues, de lugares que sugiere un ahondamiento o interiorización en la realidad de la acción, al igual que los personajes en el primer cuadro aparentan, *parecen* (—"Que nada importa tanto como parecer, según va el mundo, y el vestido es lo que antes parece", afirma Crispín), y después, de modo progresivo en los actos segundo y tercero, se muestran tal como verdaderamente *son*. Estos dos planos, el de la *apariencia* y el de la *realidad,* se suceden y alternan en la obra y constituyen una de las claves para su comprensión, al tiempo que dan sendas perspectivas de la conducta de los personajes, siempre dentro de un carácter de farsa. En función de tal carácter puede valorarse mejor la escena final del primer acto, elogiada por algunos estudiosos y comentaristas de la obra, y objeto de crítica muy negativa por parte de otros.[82] A nuestro juicio, la escena, de claro y deliberado acento modernista, pone fin con singular acierto al primer acto en un clima de farsa. Benavente presenta, ante el espectador, a la pareja de enamorados, con su irrealidad, en su frágil mundo aparte, para que ese espectador los vea tal como se aparecen a los ojos de Crispín, y también, a pesar de la caricatura, para exaltar los sentimientos de Leandro y de Silvia, la importancia decisiva del amor, que Crispín subrayará en los cuatro versos finales del acto:

¡Noche, poesía, locuras de amante!...
¡Todo ha de servirnos en esta ocasión!
¡El triunfo es seguro! ¡Valor y adelante!
¿Quién podrá vencernos si es nuestro el amor?

---

[82] Cfr. Fernando Lázaro, prólogo a su edición de *Los intereses creados* (Madrid, Cátedra, 1986 [9.ª ed.], p. 95, n. 26); y su artículo "Los intereses creados" (*Blanco y Negro,* Madrid, 10 de mayo 1992, p. 14), en el que considera esta escena de Benavente como "una de las peores que salieron de su pluma". En el mismo criterio abunda, atenuadamente, Francisco José Díaz de Castro (Introducción a *Los intereses creados,* Madrid, Colección Austral, 1990, pp. 36-37). No comparto, pues, las opiniones negativas precedentes.

Tema y sentido

El tema y sentido de la obra los resume Crispín en la escena final: "Creedlo. Para salir adelante con todo, *mejor que crear afectos es crear intereses...*" Tema y sentido a los que alude ajustadamente el título: *Los intereses creados*. Tan desengañada y pesimista convicción la desarrolla Benavente en la trama argumental de su comedia, cuyos hilos domina y maneja diestramente Crispín. Esa creencia en el poder del dinero ("Nadie mejor que vos sabe cómo el dinero puede cambiar a un hombre", dice también Crispín en la última escena a otro personaje, el Doctor), no por amarga menos cierta y permanente, impregna toda la obra. En ello se ha creído encontrar un eco de los problemas vividos por Benavente a su regreso, en 1906, de su primer viaje a América: un enojoso pleito judicial, que el escritor explicará, años después, a Enrique González Fiol:

—Yo tenía empeñadas varias obras mías a distintos acreedores. Para levantar todas esas escrituras convine en otorgar una a dos editores, los cuales se encargaron de pagar mis cuentas. Luego de firmada la escritura, ellos no se entendieron con los otros acreedores... y no se les ocurrió otra barbaridad que presentar una denuncia contra mí, acusándome de haber hipotecado las mismas obras a varios. Los mismos notarios que habían intervenido en lo de las escrituras declararon a mi favor, y el fiscal de la Audiencia hubo de amonestar al juez que cursó la denuncia.[83]

Que la realidad de la vida vivida puede estar —de hecho lo está, a menudo— debajo de la creación literaria, inspirándola, impulsándola, es hecho cierto, pero no siempre seguro ni demostrable. Como en este caso. De lo que no cabe duda es de la actitud escéptica, negativa, del escritor en *Los intereses creados*. De ahí la idea central, ya antes puesta de relieve: "...mejor que crear afectos es

[83] E. González Fiol, ob. cit., p. 57.

crear intereses". Porque, como dice también Crispín (acto I, escena I), "Mundo es éste de toma y daca; lonja de contratación, casa de cambio, y antes de pedir, ha de ofrecerse."

En cuanto a la afirmación del poder del dinero y de su consiguiente influencia en las conductas de los seres humanos, se trata de un motivo que cuenta con larga tradición literaria y numerosos testimonios que van desde Juan Ruiz a Quevedo, desde Shakespeare a Molière, con diferentes enfoques y perspectivas. Benavente, por su parte, elige el género de la farsa y un juego imaginativo acorde con la "afición a la fantasía que siempre coloreó la obra de Benavente".[84] De este modo, el autor da carácter atemporal y a la vez perdurabilidad a su comedia.

Y, junto a la lección pesimista y la falta de fe en el ser humano, la presencia salvadora del amor, con especial relieve en el final del acto primero y en la conclusión de la comedia. Aunque Crispín advierta que también el amor es una forma de interés: "—¿Y es poco interés ese amor? Yo di siempre su parte al ideal y conté con él siempre". A continuación, las palabras postreras de Silvia ponen una luz esperanzada en el hilo sutil del amor que a veces desciende del cielo al corazón de los seres humanos.

Los personajes

Proceden —Leandro, Colombina, el Doctor, Polichinela, Arlequín, el Capitán, Pantalón...— de la *commedia dell'arte* italiana, y, según dice Crispín en el *prólogo* de la farsa, "no son ni semejan hombres y mujeres, sino muñecos o fantoches de cartón y trapo, con groseros hilos, [...] Son las mismas grotescas máscaras de aquella comedia del Arte italiano..." Benavente aprovecha,

[84] Allardyce Nicoll: *Historia del teatro mundial.* Madrid, edit. Aguilar, 1964, p. 620.

pues, una antigua tradición teatral, pero sin ajustarse de manera estricta a los modelos originales, tal como señaló Dámaso Alonso.[85]

En realidad, todos los personajes, con el simbolismo, más o menos preciso, que corresponde al carácter de cada uno de ellos, están al servicio del protagonista, Crispín, que es quien gobierna la acción, quien mueve a los personajes tal como se haría en una pieza de guiñol. Y todos estos personajes, por su carácter simbólicamente representativo, constituyen blanco fácil para la ironía, para el verbal juego de ingenio, para la sátira. Ésta es consustancial a gran parte del teatro benaventiano, pero en *Los intereses creados* no se trata, como en las comedias primeras, de una sátira limitada a un sector social: la sátira de la aristocracia o de la política, sino de la sátira humana y de alcance universal y perdurable. Los polichinelas ambicionan, mienten, aman, aborrecen... son, en definitiva, seres humanos, con sus apetitos y ruindades de siempre, muñecos a los que mueven "cordelillos groseros, que son los intereses, las pasioncillas, los engaños y todas las miserias de su condición".

Algunos de los personajes no tienen su raigambre únicamente en la *commedia dell'arte.* Así el de Doña Sirena, nueva elaboración de la figura celestinesca ("Ya sabes cómo frecuentan esta casa algunos caballeros nobilísimos... [...] En favor de todos ellos interpongo yo mi buena amistad con [...] Cualquiera que sea el favorecido, yo sé que ha de corresponder con largueza a mis buenos oficios...").

Y otros son estilizados o singularizados mediante la acentuación de algunos de sus rasgos característicos, como es el caso de Leandro, en el que extrema las notas de fragilidad y timidez. "Vedle —dice Crispín— cómo quisiera ocultarse y desaparecer. Es una violeta" (acto I, escena IV). La frecuente interpretación de este personaje

[85] D. Alonso: "De *El caballero de Illescas* a *Los intereses creados*", en *Rev. de Filol. Esp.,* t. L, 1967.

por una actriz y ya así en el estreno de la obra, contribuye a destacar aún más aquellos rasgos y ha dado pie a algunos comentaristas para creer ver una cierta ambigüedad en el personaje, a nuestro juicio sin razón para ello.[86]

Pero el centro y protagonismo absoluto de la comedia corresponden a Crispín, un pícaro ("los naturales, como yo, del libre reino de Picardía...") con dilatada experiencia de la vida y que filosofa y se expresa sabiamente pero sin perder nunca la noción de las realidades humanas. Y descendiente, asimismo, de los criados de las comedias de los siglos XVI y XVII, que de ser mero contrapunto de sus amos, figura del gracioso, pasan a tener cada vez mayor importancia y alcanzan incluso papel protagonista, como el Polilla de *El desdén con el desdén,* de Moreto, o el Fígaro de *Le barbier de Seville,* de Beaumarchais. Federico de Onís trazó un certero retrato de la ascendencia y carácter de Crispín. "Desciende, en cuanto a la forma —indica Onís—, del eterno criado de las comedias, y en cuanto al carácter estético es de la familia de los pícaros y más aún de la Celestina, por ser como ella, aunque demasiado humano, un personaje de naturaleza luciferina, es decir, que lleva en sí el poder tentador y es capaz de suscitar y dominar en los demás no sólo las malas pasiones, sino hasta aquellas superiores de que él mismo es incapaz... [...] Él es quien mueve todos los hilos, quien pone en juego todas las pasiones; pero no en servicio propio, sino de un compañero de aventuras que en la ficción de la obra ha tomado el papel de señor."[87]

Benavente sentía una especial estimación por el personaje de Crispín y lo representó en diversas ocasiones,

---

[86] La idea de una ambigüedad sexual en Leandro la ha sugerido Gérard Dufour (artíc. cit. en la *Bibliografía*) y en ella insiste F. J. Díaz de Castro (*Introducción* citada, pp. 41, 49 y 50). No veo fundamento para esta interpretación, de la cual discrepo totalmente.

[87] F. de Onís: *España en América.* Madrid-Caracas, Ediciones de la Universidad de Puerto Rico, 1955, p. 494.

íntegra o parcialmente, y la última vez quizá en el madrileño Teatro Infanta Isabel, durante la temporada 1950-1951, cuando el escritor contaba ya 84 años e interpretó, junto con la actriz Isabel Garcés, el diálogo de Colombina y Crispín en la escena II del cuadro segundo.

La cuestión de las posibles fuentes

El éxito obtenido por *Los intereses creados* no impidió que surgieran pronto algunas insinuaciones sobre sus posibles coincidencias —demasiado amplias para ser casuales— con otras obras. Así cuando, en 1911, se representó en Madrid, en el Teatro de la Comedia, una traducción de *Le danseur inconnu,* de Tristan Bernard. Varios críticos creyeron hallar semejanzas entre esta comedia francesa y la de Jacinto Benavente. A los pocos días apareció en los periódicos la nota siguiente:

> El Sr. Benavente nos recuerda que la obra de Tristan Bernard *Le danseur inconnu* se ha estrenado en París en 1910 y *Los intereses creados,* en 1907. Como la generalidad de los lectores no están al tanto de esas menudencias teatrales, encontramos oportunísimo el recuerdo y lo hacemos constar con verdadero gusto.[88]

También se hablará, con insistencia, de *Volpone,* del dramaturgo inglés Ben Johnson, y de las analogías con él de la obra benaventiana.

A todas estas cuestiones se referirá Benavente con rigor, claridad y precisión en un artículo publicado a fines de 1930 y que debe ser tenido en cuenta para afrontar con buen sentido la cuestión de las posibles fuentes de *Los intereses creados:*

> No ha faltado —escribe Benavente— en torno de *Los intereses creados* —¿cómo no?— el mosconeo acusador de plagio. Y tan plagio. *Los intereses creados* es *la obra que*

---

[88] Reproduzco de I. Sánchez Estevan, ob. cit., p. 108.

más se parece a muchas otras de todos los tiempos y de todos los países. A las comedias latinas, a las comedias del arte italiano, a muchas obras de Molière, de Regnard, de Beaumarchais. A la que menos se parece es, justamente, a la que más dijeron que se parecía, al *Volpone,* original de Ben Johnson. Digo al original —porque a las adaptaciones sí se parecía; porque más de un adaptador procuró —¡líbreme Dios de creer con mala fe!— que se pareciera.[89] Ya en la adaptación francesa de Jules Romains, el personaje de Mosca, el criado, adquiere una importancia que no tiene en el original inglés. Bien sé yo que el autor francés desconoce *Los intereses creados,* como todas mis obras; le bastaba con acordarse de Molière y de Regnard para ampliar la figura de Mosca, que es el criado pícaro del teatro latino, de la comedia italiana, del teatro francés y de nuestro teatro clásico.

Presumir de absoluta originalidad es la más pueril de las presunciones.[90]

Un minucioso rastreo de posibles fuentes ha sido efectuado por Fernando Lázaro,[91] quien hace referencia a Ben Johnson, Shakespeare *(Macbeth),* a la tradición picaresca, Beaumarchais, Molière, Regnard, Scarron, Poisson, Lesage, la *commedia dell'arte,* y a la presencia de Arlequín, Colombina y Polichinela en la lírica, la pintura, la danza y la farsa europeas de fines del siglo XIX.

A tan larga serie cabría añadir aún al propio Benavente, en su *Teatro fantástico,* y a Baltasar Gracián, Leandro Fernández de Moratín (véase, en esta edición, las notas 7 y 26 al texto de *Los intereses creados*). Demasiados nombres, quizá, para que deban ser tenidos todos en cuenta.

Dámaso Alonso ha indicado con plausibles argumentos, una comedia de Lope de Vega, *El caballero de Illescas,* como fuente argumental de *Los intereses creados,*

[89] Acaso aluda Benavente a la adaptación de *Volpone* hecha por Luis Araquistáin, publicada en "El teatro moderno", núm. 227, Madrid, 1929.

[90] *Las terceras de ABC,* ed. cit., p. 49.

[91] En su *Introducción* a la ed. cit., pp. 33-37.

y tras detallado estudio comparativo de ambas obras, resume:

> Benavente extrajo, del maremagnum de la acción, en *El caballero de Illescas,* justamente los elementos de la trama fundamental de *Los intereses creados.* [...] Benavente varió y desarrolló mucho algunos de esos materiales, convirtió en escenas importantes otras cosas que sólo estaban apuntadas en la obra de Lope o que podían ser una consecuencia natural en el desarrollo de ella, y además dio a todo un tono de farsa con el que, claro está, desaparecería la humana y bella violencia de la "fuente". Construyó así una obra suave en la forma (con mucho veneno contra la sociedad que constituía su público), todo lo ponderó, y salió esa obrita maestra: *Los intereses creados.*[92]

Singular interés reviste la aportación de Antonio Buero Vallejo, en un trabajo en el que reproduce una entrevista con el propio Benavente en la que éste declara que la idea para el argumento de su obra más conocida se la dio un célebre cuento infantil: *El gato con botas:*

> —¿Cómo se le ocurrió el argumento?
> —Su idea me la sugirió el cuento *El gato con botas,* que leí siendo niño y siempre recuerdo con emoción.
> A la luz de esta confesión, de cuya sinceridad no hay motivo para dudar —comenta Buero—, adquieren nuevo y más preciso y emotivo significado las palabras finales del *Prólogo* de *Los intereses...:*
> El autor sólo pide que aniñéis cuanto sea posible vuestro espíritu [...] Y he aquí cómo estos viejos polichinelas pretenden hoy divertiros con sus niñerías.[93]

Considerada por el público la mejor obra de su autor, ha recibido también numerosos elogios de los críticos e historiadores del teatro español.

En la actualidad, transcurridos casi noventa años

[92] D. Alonso, art. cit., p. 23.
[93] A. Buero Vallejo, art. cit., pp. 107 y 109.

desde el estreno de *Los intereses creados,* no deben existir reparos para considerar esta comedia no sólo como una de las mejores del teatro español del siglo XX sino como un clásico de nuestra literatura dramática.

III. La Malquerida

El estreno

En 1913 han transcurrido dos años desde el anterior estreno de Benavente, el de la comedia *La losa de los sueños,* un período de tiempo insólito por lo amplio en autor tan fecundo como él. Y, en el verano, le anuncia a la actriz María Guerrero, con la que tampoco estrenaba desde 1906,[94] que le va a entregar una nueva obra, y le dice:

> —Es obra que yo le brindo a usted. ¡A ver si sale todavía mejor que el toro que le brindó el *Gallo!*[95]

La Malquerida se estrena la noche del viernes 12 de diciembre, cuando el año se encamina hacia su fin. Comienza la representación a las diez menos cuarto. Y tras ella se interpreta un entremés de los hermanos Álvarez Quintero: *Los chorros del oro.* El éxito de la nueva creación benaventiana será muy grande: excepcional cabe decir. El autor es muy aplaudido ya en el primer acto y, en el segundo, el entusiasmo se desborda y los vítores a Benavente y a María Guerrero se suceden torrencialmente. Cuando la representación concluye, el público, puesto en pie, aplaude sin pausa. "El desbordamiento del

[94] *La princesa Bebé,* estrenada por la compañía de María Guerrero y Fernando Díaz de Mendoza, en el Teatro Español, el 31 de mayo de 1906.
[95] Benavente se refiere a una magnífica faena que el torero había realizado tres años antes, en Sevilla, con un toro que brindó a la actriz.

entusiasmo —dirá, al día siguiente, un crítico, José de Laserna— fue tumultuoso y arrebatador."

Al éxito de la obra contribuye la interpretación, encabezada por María Guerrero en el papel de Raimunda, la protagonista. Tiempo después, Benavente escribirá fervorosas palabras sobre la labor de la actriz:

> La superioridad de María Guerrero sobre todas nuestras artistas dramáticas estribaba en su registro grave, acontraltado. En el final del segundo acto de *La Malquerida* es imposible que ninguna otra actriz pueda superar aquellos tres "¡Esteban! ¡Esteban! ¡Esteban!", en escala ascendente, sin romperse la voz, sin chillidos, sin gallos; era algo inolvidable, sonaba a clarín de guerra, a trompeta de juicio final...[96]

Junto a María Guerrero destacó una artista muy joven entonces: María Fernanda Ladrón de Guevara, que interpretó el papel de *la Acacia*. En el reparto figuraban también otras actrices que andando el tiempo alcanzarían renombre: Irene López Heredia y Carmen Ruiz Moragas. Completaron el reparto Avelina Torres, María Cancio, Elena Salvador, Elena Riquelme, María Rivas, Fernando y Mariano Díaz de Mendoza, Fernando Montenegro, Felipe Carsi, Ricardo Juste y Ernesto Vilches. Este último obtuvo un personalísimo triunfo en su papel de *el Rubio*.

En 1963, a los cincuenta años, por tanto, del estreno de *La Malquerida,* dos testigos de aquél, la actriz María Fernanda Ladrón de Guevara y el crítico Tomás Borrás, evocaban así cómo había sido la jornada:

---

[96] *Ob. compl.,* t. VII, p. 1195. Benavente escribió en varias ocasiones y siempre con elogio sobre María Guerrero. Véase *Ob. compl.,* t. XI, pp. 88-90, y *Las terceras de ABC,* ed. cit., pp. 173-175. Este último texto lo termina así: "Al firmar este artículo, no quiero que sea con mi nombre; quiero que sea con un nombre que es para mí recuerdo alegre y doloroso. Por eso mismo hago de él mi mejor homenaje a María Guerrero. *El autor de La Malquerida*".

—Al acabar el acto segundo —recuerda la actriz—, ante el público puesto en pie, los intérpretes salimos a buscar a Benavente, para sacarle a escena. Él estaba sentado en una escalera del escenario, jugando al chamelo con los maquinistas. Se levantó y dijo: "vaya, luego seguiremos". Fue una noche como yo no recuerdo en ningún estreno. A los aplausos, que no acababan, se unían los vivas a María Guerrero y a Benavente. Y los vivas a España, porque en aquella obra la gente vio una afirmación del teatro de nuestra Patria.

Según Tomás Borrás, que era entonces el crítico teatral del periódico *La Tribuna,* "la expectación en la sala de la Princesa, aquella noche, era grandísima. Benavente no salió a escena en el primer acto. Lo hizo en el segundo y al final. En una butaca delante de mí estaba José López Pinillos, que quería estrenar y no lo conseguía. Era hombre difícil, descontentadizo. Llegó el momento en que Raimunda, en un largo parlamento, recrimina fuertemente a Esteban, el marido, su oscura pasión por Acacia. En una transición, la actriz dijo una frase sencilla, que en una lectura o en labios de otra intérprete sería muy poca cosa. Esteban se dispone a beber un poco de agua. Y la actriz dijo, en una transición a la que asomó, en unas palabras vulgares, cuanto por aquel hombre sentía, a pesar de todo: —'No bebas tan aprisa, que estás tóo sudao...' Lo dijo de tal modo, supo valorar tan excepcionalmente lo escrito por el autor, que López Pinillos se puso en pie y dijo, gritando casi: ¡Maravilloso!"[97]

El éxito se hizo pronto universal con la traducción de la obra a varios idiomas: al francés, al alemán, al italiano, al inglés, al sueco, al hebreo... En los Estados Unidos fue traducida con el título de *The Passion Flower*. Esta versión alcanzó altísimo número de representaciones. Y *La Malquerida* será llevada al cinematógrafo en tres ocasiones. A este respecto el escritor declarará, en el último año de su vida: "No estoy satisfecho de casi ninguna de las adaptaciones que el cine ha hecho

[97] En el diario *Madrid* del 12 de diciembre de 1963, p. 10.

de mis obras. Me las han desfigurado casi todas: sólo una de las tres versiones de *La Malquerida* estuvo bien. Y pocas más".[98]

Incluso, en fecha reciente —1994—, se ha hecho, por Alfredo Mañas, una versión para danza-teatro de esta creación de Jacinto Benavente, con halagüeño resultado y dando testimonio así, una vez más, de la vitalidad de la obra.[99]

De la crítica contemporánea
a las valoraciones del cincuentenario

En los días siguientes al estreno los comentarios y reseñas de los críticos coinciden en el elogio. Representativas son, en este sentido, la crónica de Ricardo J. Catarineu *Caramanchel,* en *La Correspondencia de España:* "Yo me alejo del teatro obsesionado por la sensación de esta tragedia, tan soberanamente atrevida y bella, hija directa del teatro griego..."; y la de Arimón, en *El Liberal:* "Tiene el carácter grandioso de los dramas dannunzianos y produce desde el primer momento esa impresión hondísima con que el genio sabe sugestionar al público, apoderándose de él y haciéndole sentir el escalofrío de las grandes tragedias".[100]

Diez años después, cuando a Benavente se le acababa de otorgar el Premio Nobel, el profesor Federico de Onís afirmará: "Todo el talento dramático de Benavente y su habilidad de hombre de teatro culminan en esta obra, que nos deja perplejos, dudando si nos encontramos ante una profunda y genuina tragedia o ante un alarde de habilidad técnica dirigida sabia y fríamente a sacudir los sentimientos y aun los nervios de los espectadores".[101]

---

[98] Rev. *Fotos,* Madrid, número del 8 de mayo de 1954.

[99] *Vid.* el comentario de Lorenzo López Sancho en el diario *ABC* del 3 de julio de 1994.

[100] Reproduzco de J. Montero Alonso, ob. cit., p. 223.

[101] F. de Onís, ob. cit., p. 498.

En 1963, cuando se cumplía ya medio siglo del estreno de *La Malquerida,* varios autores teatrales destacados del momento expresaron su valoración de la obra. Y, una vez más, nombres importantes coincidieron entonces en su alabanza. Joaquín Calvo Sotelo augura "una larga vida a *La Malquerida,* subordinada —eso sí— al hecho de que haya una actriz capaz de incorporar su personaje esencial con la fuerza y la 'garra' que exige: tal Lola Membrives". Alfonso Paso afirma con rotundidad: "Me parece uno de los dramas más recios e importantes de la dramaturgia universal". Víctor Ruiz Iriarte cree que *La Malquerida* "es una obra clásica, si se entiende lo clásico como sinónimo de perfección", y José María Pemán que "es una obra cumbre de todos los tiempos". Juan Ignacio Luca de Tena la considera "como una de las obras dramáticas fundamentales del teatro universal". Y Miguel Mihura dice: "Las obras pueden envejecer con los años, pero nunca sus buenos personajes. Así sucede con la Raimunda y la Acacia de *La Malquerida*, dos tipos de mujeres benaventianas que seguirán viviendo eternamente sobre los escenarios del mundo".[102]

Género y estructura

De *drama* califica Benavente a su obra *La Malquerida:* "drama en tres actos y en prosa", y adecuado parece el término genérico clasificatorio. No obstante, la tensión sostenida y progresiva de la obra la sitúa en los aledaños de la tragedia e incluso, en algunos momentos, plenamente dentro de ella. No así su final. En su argumento, en el desarrollo de éste, confluyen, de una parte, el enfrentamiento, la lucha entre deber y pasión en las almas de unos personajes —Esteban, Acacia—, una pasión capaz de todo, incluso de matar...

---

[102] Opiniones que aparecieron en el diario *Madrid* del 13 de diciembre de 1963, p. 10.

y, de otra parte, una intriga casi policíaca, con asesinato incluido cuya autoría se ignora y a la que sólo se llegará, en sabia gradación admirablemente establecida por el autor, en el clímax y desenlace de las escenas últimas. Drama, de ambiente rural, pues, tal como indica su autor, pero con elementos trágicos, o proclives a la tragedia, aunque ésta se soslaye al final, en impresionante escena, con la sangre derramada y redentora de la madre que salva —con expreso paralelo evangélico— a la hija, Acacia, en cuyo interior se han debatido, en silencioso y atroz combate, los sentimientos del deber, de la pasión, del odio... —"¡Ese hombre —dice Raimunda en las palabras que ponen final al drama— ya no podrá nada contra ti! ¡Estás salva! ¡Bendita esta sangre que salva, como la sangre de Nuestro Señor!"

La Malquerida da testimonio, entre otras cosas, de la inquietud literaria y teatral de un autor que, desde su primer estreno en 1894, hasta éste de 1913, no ha querido estancarse en una fórmula única ni en una exclusiva manera. En ese período de tiempo ha pasado de la comedia de salón a la farsa simbólica: de *Gente conocida* a *Los intereses creados*. Ha ido de la intención satírica al callado drama campesino: de *Los malhechores del bien* a *Señora ama.* Ha ironizado, ha conmovido. Su pluma ha sido dardo unas veces y piedad otras. Y, en *La Malquerida* —una obra nueva y distinta en la gama teatral benaventiana, por su vigor, por su violencia incluso— aparece un autor diferente y sorprendente, dueño de una capacidad y flexibilidad escénicas singulares. Ya no es, como en varias comedias anteriores, el juego verbal hecho de malicias y donaires, sino un lenguaje directo, sobrio, construido con una retórica tan austera como eficaz. Ya no es drama insinuado, en voz baja, corazón adentro. Ni tampoco el símbolo. Es un drama tenso y audaz —singularmente para su época—, de duros perfiles lindantes con la tragedia; es una historia de pasión y sangre que llega a un sosegado —aparentemente sosegado— ambiente rural desde lejanas raíces. Y el áspero fondo y argumento de la obra van tomando cuerpo, desarrollándose, en una gradación escénica que parece perfecta.

Miguel Narros, que en 1988 y en el madrileño Teatro Español repuso y dirigió una inteligente, sugestiva versión de *La Malquerida,* cree en el carácter trágico de la obra:

> Se han hecho durante tres cuartos de siglo muchas *Malqueridas,* y, me imagino, que algunas todavía perduran en la memoria del público. Pero el hombre y la mujer joven que solamente conocen estos textos de forma obligada a través de las clases de literatura, seguramente encontrarán muy lejana la clasificación "oficial" de la obra como "drama rural". *La Malquerida* se nos ha revelado como mucho más que un drama, adquiriendo categoría de tragedia porque el personaje de Raimunda es un personaje trágico, como lo puede ser Edipo o como lo puede ser el propio Hamlet. Raimunda quiere saber la verdad, que, como a Edipo, la conducirá a su destrucción final. Y, por supuesto, el personaje de Acacia, tras esta lectura, nos plantea un problema de capital importancia, al encontrarse muy cercano al de Electra y muy cercano también a la oscura pasión que domina a Hamlet.[103]

De esta consideración de *La Malquerida* como tragedia discrepa razonadamente Fernando Lázaro, quien la sigue viendo como un drama rural y la declara "obra insigne, porque resulta de un genio teatral indiscutible".[104] Criterio distinto mantiene Lorenzo López Sancho en su crónica de la versión dirigida por Narros: "*La Malquerida* es [...] un moderno conflicto entre la razón y el instinto, entre las convenciones sociales y la pasión. Ese conflicto, por mucho que cambien las pautas de comportamiento, mantiene su actualidad dentro

[103] En publicación del Teatro Español. Ayuntamiento de Madrid, con motivo de la reposición, el 1 de febrero de 1988, en el local citado, de *La Malquerida,* dirigida por Miguel Narros, p. 2.

[104] Artículo en la revista *Blanco y Negro,* núm. correspondiente al 6 de marzo de 1988, p. 12.

de la envoltura benaventina y considerarlo a estas alturas como un 'drama rural' sería un grave error: el de
confundir el ámbito en el que el suceso dramático se
produce, con la categorización, ajena al espacio y al
tiempo, del conflicto mismo."[105]

La división de la obra en tres actos, de acuerdo con una
tradición y fórmula procedentes del teatro clásico español, enlaza con los también tradicionales conceptos del
planteamiento, nudo y desenlace. Situada la acción "en
un pueblo de Castilla", transcurren, el acto primero
en una "sala en casa de unos labradores ricos", y el
segundo y tercero, según indica la correspondiente aco-
tación, en el "Portal de una casa de labor. Puerta
grande al foro, que da al campo [...]". El paso del primer lugar al segundo, el cual da directamente al campo,
parece tener una función acorde y significativa con el
desarrollo de la acción. En cuanto a la época de esa
misma acción, es, externamente, la contemporánea, y,
en el proceso de la obra, su tiempo de duración parece
reducirse, concentrarse, hasta aproximarse, ante el espectador, al tiempo real de la representación. Todo ello en
una construcción en la que el autor muestra su excepcional dominio y saber escénicos.[106]

Tema, antecedentes, lenguaje

La lucha del amor y la pasión contra lo establecido
por los lazos de parentesco —no de sangre en este
caso— constituye la raíz temática esencial de *La
Malquerida*. En esa pasión late la muerte violenta, la
traición, un incesto que no llegará a consumarse. Y
todo ello se conformará y desarrollará en la trama argumental, con tres personajes centrales: Raimunda, la
madre; su hija, Acacia, y Esteban, su marido y padrastro

---

[105] En el diario *ABC*, de 6 de febrero de 1988, p. 81.
[106] Cfr. el artículo de Francisco Ynduráin, *La Malquerida*, en
la publicación citada en la nota 103, p. 5.

respectivamente; y los demás personajes, con algo de conjunto coral, y uno de ellos, el Rubio, secundario pero de personalidad y relieve singulares. El nudo de la acción aparece cifrado en la copla a la que hace referencia uno de los personajes, Norberto, en el acto II (escena V):

> El que quiera a la del Soto
> tiene pena de la vida.
> Por quererla quien la quiere
> le dicen la Malquerida.

Cuando Raimunda conoce la copla, inicia la busca definitiva de la verdad, una verdad hacia la que irá inexorablemente. Este empleo y valor de la copla hacen recordar el de otras coplas populares en comedias de la Edad de Oro, así *El caballero de Olmedo,* de Lope de Vega.

Con relación al carácter y ambiente rurales de *La Malquerida,* próximos a los de otra creación benaventiana anterior, *Señora ama,* estrenada en 1908, Federico de Onís escribió:

> Se parecen ambas obras en que están localizadas en el mismo medio, el más ajeno que cabe al espíritu de Benavente: son dramas rurales que ocurren entre campesinos españoles de nuestro tiempo. Pero es lo cierto que con toda la apariencia de realismo que estas obras tienen, el campo y los campesinos que en ellas aparecen no son españoles ni de ninguna otra parte: el campo es para Benavente algo convencional, que no tiene existencia poética real. [...] Para Benavente poner una acción en el campo es sencillamente desrealizarla. La única realidad que, en rigor para él existe como tal, es la de la sociedad madrileña contemporánea; todos los esfuerzos que ha hecho para salir de ella, buscando como escenario mundos cosmopolitas o ciudades imaginarias o ahora la España rústica, no han sido más que esfuerzos para huir de la realidad y dar libre salida a su capacidad soñadora y fantástica.[107]

---

[107] F. de Onís: ob. cit., pp. 495-496.

A *La Malquerida* se le han señalado, temática y argumentalmente, diversos antecedentes, desde la *Fedra* y el *Hipólito* clásicos[108] a, mucho más próximos en el tiempo, *Alfonso el Casto,* drama de Hartzenbusch, según señaló Ismael Sánchez Estevan;[109] y, en este siglo, *Misteri de dolor* (1904) de Adrián Gual.[110] Antecedentes, todos estos que en ningún caso menoscaban la originalidad y fuerza creadoras, la sabiduría y dominio teatrales también, de Benavente, quien acertó a infundir en su obra pasión, humanidad, psicología. Y la expresión de escondidos sentimientos la lleva a cabo con sutil habilidad, así en el personaje de Acacia, donde aparece "realizado artísticamente un proceso de subconsciencia. [...] Por frases que se escapan, y que son como relámpagos que iluminan toda una vida, todo un proceso pasional, llegaremos a la subconsciencia de los agonistas".[111]

Aspecto destacado de *La Malquerida* es su lenguaje. Benavente, al situar la acción de la obra en un ambiente rural, ha de dar a sus personajes unas formas expresivas coherentes con esa localización. Y, tal como señaló Francisco Ynduráin, "al limitar el elenco de los personajes a campesinos, amos y criados, el autor hubo de afrontar un primer problema, el de la expresión hablada, teniendo en cuenta la limitada y poco precisa capacidad de la gente rústica para dar voz a su interioridad, más aún cuando el conflicto se presentaba complejo".[112] Para resolver ese problema el escritor pudo aprovechar sus frecuentes estancias en tierras toledanas,

---

[108] F. Ynduráin indica a este respecto: "No me vale para el caso acudir a grandes temas de la tragedia helénica —Edipo, Fedra— para amores incestuosos, como han hecho algunos tratadistas, pues nos falta el trasfondo mítico y cultural..." (art. cit.).

[109] Ob. cit., pp. 140-141.

[110] Cfr. J. Montero Alonso, ob. cit., pp. 225-226, y F. Lázaro Carreter, art. cit. en nota 104.

[111] A. Lázaro: *Biografía de Jacinto Benavente.* Madrid, CIAP, 1930, pp. 42-43.

[112] F. Ynduráin: art. cit.

en las que descansaba, observaba y pudo aprender algunos rasgos del hablar campesino que llevaría después, con fina intuición, a las formas expresivas de sus personajes. Aunque, con toda probabilidad, nunca pretendió reproducir con fidelidad y rigor dialectales el lenguaje escuchado, sino transmitir una apariencia de habla popular campesina en sus obras de ambiente rural. Así lo creía y exponía ya, en 1923, el profesor Federico de Onís: "El lenguaje rústico usado en ellas es un lenguaje convencional con los toques suficientes para dar la impresión del lenguaje popular; lo mismo que el lenguaje de *Los intereses creados* da la impresión de ser arcaico gracias a ciertos arcaísmos convencionales".[113]

Para alcanzar esa apariencia o impresión de lenguaje rural, el escritor reitera unos pocos fenómenos y rasgos:

Así la supresión de la consonante *d* en posición intervocálica, habitual en los participios en *-ado: criao, acabao, mirao, tratao, estao, entrao, encontrao...;* frecuente en los participios en *-ido: entristecío, salío, habío, querío, consentío, acudío...;* presente también en otras palabras: *tóo, toos* [todo, todos]. Apócopes que constituyen vulgarismos: *pa /para, po/por, ca/cada...* Simplificación de grupos consonánticos cultos: *Madalena/Magdalena.* Concordancias erróneas: *nadie creíamos, quién podamos, aún no sabemos nadie.* Contracciones de dos palabras: *no me acordao* [no me he acordado]. Aspiración de la *h-* inicial: *jipar/hipar.* Contracciones vulgares de palabras: *ande/adonde.* Vulgarismos: *haiga (el Señor le haiga perdonao), denguna.* Repetida intercalación de la conjunción copulativa *y:* "yo no sé que esta hija mía *y* haya podido...", "y ella puede *y* que no se acuerde de su primo", "Pero todos dicen *y* que ha sido Norberto..." Tratamientos: el *tío* Eusebio. Empleo sistemático del artículo junto a los nombres propios: *la* Raimunda, *la* Acacia. Construcciones como: "ella consintió *de* hablar"; otros vulgarismos en formas verbales: *hubiá,*

---

[113] F. de Onís: ob. cit., p. 495.

hubiea [hubiera], *quieo* [quiero], *tie* [tiene], *pués* [puedes], *queará* [quedará], etcétera.

Con tan pocos recursos, utilizados, esto sí, de manera insistente, desde el comienzo al final de la obra, y con indudable habilidad para transmitir la sensación de un habla rural, Benavente hace hablar a sus personajes. La afectación de vulgaridad no impide que algunos de esos personajes digan extensos parlamentos con evidente carga literaria. Y en cualquier caso y al igual que en toda su creación dramática, Benavente da testimonio, una vez más, en *La Malquerida,* del valor de la palabra para su idea del teatro.

JOSÉ MONTERO PADILLA

NOTICIA BIBLIOGRÁFICA

Teatro. Madrid, Librería de los Sucesores de Hernando, 1903-1931, 38 volúmenes.

Obras completas. Madrid, Aguilar, 1947-1951 [4.ª ed.], 9 volúmenes.

Los intereses creados. Comedia de polichinelas, Madrid, Sociedad de Autores Españoles, 1908.

Los intereses creados. Comedia de polichinelas, Madrid, Velasco Imp., 1908.

La Malquerida. Drama. Madrid, Sociedad de Autores Españoles, 1913.

La Malquerida. Drama. Madrid, Velasco Imp., 1913.

Las terceras de ABC. Jacinto Benavente. Selección y prólogo: Adolfo Prego. Madrid, Edit. Prensa Española, 1976.

Las mejores páginas de Jacinto Benavente. Recopiladas y prologadas por Alejandro Miquis. Madrid, 1917, 2 tomos.

Jacinto Benavente. Antología. Selección y prólogo por Juan Emilio Aragonés. Madrid, Doncel, 1966.

BIBLIOGRAFÍA SELECTA

Alcalá-Galiano, A.: "Benavente o el ingenio inagotable", en *Figuras excepcionales,* Madrid, 1930, pp. 107-118.

Alonso, Dámaso: "De *El caballero de Illescas* a *Los intereses creados*", en *Revista de Filología Española,* t. L, 1967, pp. 1-24.

Amorós, Andrés: "Benavente y el teatro modernista", en *Actas del X Congreso de la Asociación Internacional de Hispanistas,* Barcelona, 1992, pp. 1601-1608.

Aznar, S.: "Teatros. Jacinto Benavente. *Los intereses creados*", en *Cultura Española,* Madrid, 1908, 1.°, pp. 70-77.

Azorín: "Un cincuentenario", en el diario *ABC,* 5 de noviembre de 1948.

——, *La Generación del 98.* Edic. de Ángel Cruz Rueda. Madrid, Biblioteca Anaya, 1961, pp. 79-80.

Blanco Fombona, Rufino: "A propósito del Premio Nobel otorgado a España en la persona de Benavente", en *Motivos y Letras de España,* Madrid, 1930, pp. 77-84.

Borel, Jean-Paul: *El teatro de lo imposible,* Madrid, Guadarrama, 1966.

Buceta, Erasmo: "En torno de *Los intereses creados*", *Hispania,* California IV, 1921, pp. 211-222.

Bueno, Manuel: *Teatro español contemporáneo,* Madrid, Biblioteca Renacimiento [1909], pp. 127-177.

Buero Vallejo, Antonio: "*Los intereses creados,* todavía", en *Serta Filológica a F. Lázaro Carreter,* Madrid, Cátedra, 1983, pp. 107-112.

Calvo Sotelo, Joaquín: *El tiempo y su mudanza en el teatro de Benavente,* discurso de ingreso en la Real Academia Española, Madrid, 1955.

Cienfuegos, Casimiro: *Benavente y la crítica. Ensayos.* Covadonga, Edit. Covadonga, 1931.

Córdoba, Santiago: *Benavente desde que le conocí.* Madrid, Prensa Gráfica, 1954.

Deleito y Piñuela, José: *Estampas del Madrid teatral fin de siglo,* Madrid, Edit. Saturnino Calleja, [s. a.]

Díaz-Plaja, Guillermo: *Modernismo frente a Noventa y Ocho,* Madrid, Espasa-Calpe, 1951, pp. 79-84.

Dos Passos, John: "El Madrid de Benavente", en *Rocinante vuelve al camino,* Madrid, 1930, pp. 173-186.

Dufour, Gérard: "Note sur le personnage de 'Leandro' dans *Los intereses creados* de Jacinto Benavente", en *Cahiers d'Études Romanes,* 7, 1982, pp. 85-92.

Eguía Ruiz, Constancio: "Un dramaturgo en la Academia: don Jacinto Benavente", en *Literatura y literatos,* 1.ª serie, Madrid, Sáenz de Jubera Hnos., 1914, pp. 281-310.

Elizalde, Ignacio: "Benavente o el arte nuevo de hacer comedias", *Razón y Fe,* CLII, 1955, pp. 219-232.

Entrambasaguas, Joaquín de: "Don Jacinto Benavente en el teatro de su tiempo", en *Cuadernos de Literatura Contemporánea,* Madrid, CSIC, 1941, núm. 15, pp. 219-221.

Fernández Almagro, Melchor: "Benavente y algunos aspectos de su teatro", en *Clavileño,* núm. 38, pp. 1-18, Madrid, 1956.

García Suárez, Pedro: "Benavente frente a Echegaray", en *La Estafeta Literaria,* núm. 11, Madrid, 1944.

George, David: "The *commedia dell'arte* and the Circus in the Work of Jacinto Benavente", en *Theatre Research International,* 6, 1981, pp. 92-109.

Gómez de Baquero, Eduardo: *"Los intereses creados",* en *España moderna,* CCXXIX, 1908, pp. 169-177.

Gómez de la Serna, Ramón: "Benavente", en *Nuevos retratos contemporáneos,* Buenos Aires, Editorial Sudamericana, 1945, pp. 93-105.

González Blanco, Andrés: *Los dramaturgos españoles contemporáneos,* Valencia, Cervantes, 1919.

González Fiol, Enrique: *Domadores del éxito,* Madrid, 1915.

Guardiola, Antonio: *Benavente, su vida y su teatro portentoso.* Madrid, Ed. Espejo, 1954.

Guarner, Luis: "La poesía en el teatro de Benavente", en *Cuadernos de Literatura Contemporánea,* núm. cit., pp. 223-231.

Horno Liria, Luis: "Ideas y personajes en el teatro benaventino", en *Nuestro Tiempo,* Madrid, núm. 7, 1955, pp. 30-44.

Iriarte, J.: "Los intelectuales y Benavente", *Razón y Fe,* CL, 1954, pp. 335-350.

Jiménez, Juan Ramón: *Españoles de tres mundos,* Madrid, Alianza Editorial, 1987, pp. 150-151.

Juliá, Eduardo: "El teatro de Jacinto Benavente", en *Cuadernos de Literatura Contemporánea,* núm. cit., pp. 165-218.

Lacosta, Francisco C.: "Benavente e Ibsen: puntos de contacto", en *Cuadernos Hispanoamericanos,* núm. 204, Madrid, diciembre, 1966, pp. 527-536.

Lázaro, Ángel: *Jacinto Benavente. De su vida y de su obra,* París-Madrid, Agencia Mundial de Librería, 1925.

——, *Biografía de Jacinto Benavente.* Madrid, Compañía Ibero-Americana de Publicaciones, S.A., El Libro del Pueblo, 1930.

Llovet, Enrique: "Jacinto Benavente y su circunstancia literaria y social", en *Cuadernos Hispanoamericanos,* núm. 204, Madrid, diciembre 1966, pp. 517-526.

Machado, Antonio: *Libros nuevos. Jacinto Benavente. Teatro. Tomo I.* En *Poesía y Prosa,* t. III, pp. 1466-1468, cfr. pp. 1462-1463. Ed. crít. de Oreste Macrì. Madrid, Espasa Calpe-Fundación Antonio Machado, 1989.

Marqueríe, Alfredo: *Veinte años de Teatro en España.* Madrid, Editora Nacional, 1959.

Mathías, Julio: *Benavente.* Madrid, Epesa, 1960.

Monleón, José: *El Teatro del 98 frente a la Sociedad Española,* Madrid, Cátedra, 1975, pp. 163-180.

Monner Sans, J. M.: "Varios enfoques de Jacinto Benavente", en *Revista de la Universidad del Litoral,* Buenos Aires, 1956, núm. 32, pp. 53-73.

Montero Alonso, José: "Jacinto Benavente", en *Revista de Literatura,* Madrid, julio-diciembre de 1954, núms. 11-12, pp. 435-442.

——, *El Madrid de Jacinto Benavente,* Madrid, Instituto de Estudios Madrileños, Itinerarios de Madrid, XIX, 1959.

——, *Jacinto Benavente. Su vida y su teatro,* Madrid, Suc. de Rivadeneyra, 1967.

Montero Padilla, José: "Echegaray visto por Benavente", en *Revista de Literatura,* núms. 25-26, enero-junio de 1958, pp. 245-248.

——, *Comienzos de la obra literaria de Jacinto Benavente,* Madrid, Ayuntamiento de Madrid-Instituto de Estudios Madrileños, 1994.

Onís, Federico de: "Jacinto Benavente", "Benavente en Nueva York", en el volumen *España en América. Estudios, ensayos y discursos sobre temas españoles e hispanoamericanos* de... Santander, Ediciones de la Universidad de Puerto Rico, 1955, pp. 484-500 y 501-505.

Pemán, José María: "Hacia una valoración ideológica de Benavente", en el diario *ABC,* 24 de julio de 1954.

Penuel, Arnold M.: "Form, Function and Freud in Benavente's *Los intereses creados,* en *Hispanófila,* 28, 1985, pp. 71-82.

Peñuelas, Marcelino C.: *Jacinto Benavente,* New York, Twayne, 1968.

Pérez de Ayala, Ramón: *Las máscaras.* Colección Austral, Buenos Aires, 1948 [3.ª ed.].

Ruiz Ramón, Francisco: *Historia del teatro español. Siglo XX,* Madrid, Cátedra, 1975 [2.ª ed.], pp. 21-38.

Sainz de Robles, Federico Carlos: *Jacinto Benavente,* Madrid, Instituto de Estudios Madrileños, 1954.

Sánchez, José Rogerio: *Estudio crítico acerca de "La Malquerida"*, Madrid, 1914.

Sánchez Estevan, Ismael: *Jacinto Benavente y su teatro*, Barcelona, Ariel, 1954.

Sánchez de Palacios, Mariano: *Benavente*. Madrid, Compañía Bibliográfica Española, 1969.

Santander Ruiz-Giménez, F.: *Comentarios a "La Malquerida"*, Valladolid, 1914.

Sheehan, Robert Louis: *Benavente and the Spanish Panorama 1894-1954*, Madrid, Estudios de Hispanófila, 1976.

Starkie, Walter: *Jacinto Benavente*, Oxford University Press, 1924.

——, "In memoriam. Jacinto Benavente 1866-1954", en *Bulletin of Hispanic Studies*, Liverpool, XXXI, 1954, pp. 210-226.

Toda Oliva, E.: "Benavente y *La Malquerida*", en *Finisterre*, Santiago de Chile, 1955, núm. 5, pp. 61-70.

Valbuena Prat, Ángel: *El teatro moderno en España*. Zaragoza, Ediciones Partenón, 1944.

——, *Historia del teatro español*. Barcelona, Edit. Noguer, 1956, pp. 573-588.

Vega, Vicente: "*El nido ajeno* en 1894", en *La Estafeta Literaria*, núm. 14.

Véguez, Roberto: "*La Malquerida* y el complejo de Edipo", en *Segismundo*, núms. 25-26, Madrid, 1977, pp. 49-58.

Vila Selma, José: *Benavente, fin de siglo*, Madrid, Rialp, 1952.

——, "Notas en torno a *Los intereses creados* y sus posibles fuentes", en *Cuadernos Hispanoamericanos*, núm. 243, 1969, pp. 588-611.

Viqueira, José María: *Así piensan los personajes de Benavente*, Madrid, Aguilar, 1958.

Vossler, Karl: "Jacinto Benavente", en *Escritores y poetas de España*. Madrid, Colección Austral, 1944, pp. 168-181.

Young, Robert J.: "*Los intereses creados*: nota estilística", *Nueva Revista de Filología Hispánica*, XXI, 2, 1972, pp. 392-399.

Boletín de la Sociedad General de Autores de España, núm. 3, Madrid, agosto 1954 (contiene numerosas colaboraciones —opiniones, comentarios, elogios...— sobre Jacinto Benavente).

NOTA PREVIA

PARA los textos de *Los intereses creados* y de *La Malquerida* he seguido las ediciones del *Teatro* de Jacinto Benavente por los Sucesores de Hernando, en las que tan sólo he corregido algunas erratas evidentes y actualizado la acentuación.

De ambas obras, en especial de *Los intereses creados,* se han efectuado numerosas ediciones sueltas, más o menos cuidadas, acompañadas algunas de ellas de enjundiosos estudios preliminares que he tenido en cuenta y cito puntualmente en mi prólogo cuando los utilizo.

Para el texto de *La Malquerida* he tenido en cuenta asimismo sus primeras ediciones, en 1913, y el original manuscrito conservado en la Biblioteca Nacional de Madrid, incompleto y no siempre de letra del autor, cuyas variantes incorporo entre corchetes.

J. M. P.

LOS INTERESES CREADOS

COMEDIA DE POLICHINELAS EN DOS ACTOS,
TRES CUADROS Y UN PRÓLOGO

Obra estrenada en el Teatro Lara el día 9 de diciembre de 1907, con el siguiente

Reparto

Personajes	Actores
DOÑA SIRENA	SRA. VALVERDE
SILVIA	SRTA. SUÁREZ
LA SEÑORA DE POLICHINELA	SRTA. ALBA
COLOMBINA	SRTA. PARDO
LAURA	SRTA. TOSCANO
RISELA	SRA. BELTRÁN
LEANDRO	SRTA. DOMUS
CRISPÍN	SR. PUGA
EL DOCTOR	SR. RUBIO
POLICHINELA	SR. MORA
ARLEQUÍN	SR. BARRAYCOA
EL CAPITÁN	SR. R. DE LA MATA
PANTALÓN	SR. SIMÓ-RASO
EL HOSTELERO	SR. PACHECO
EL SECRETARIO	SR. ROMEA
MOZO 1.º DE LA HOSTERÍA	SR. SUÁREZ (A.)
IDEM 2.º	SR. ENRÍQUEZ
ALGUACILILLO 1.º	SR. DE DIEGO
IDEM 2.º	SR. SUÁREZ (A.)

La acción pasa en un país imaginario, a principios del siglo XVII.

Derecha e izquierda, las del actor.

A don Rafael Gasset su afectísimo,
JACINTO BENAVENTE.

ACTO PRIMERO

PRÓLOGO

TELÓN *corto en primer término, con puerta al foro, y en ésta un tapiz. Recitado por el personaje* CRISPÍN.

He aquí el tinglado de la antigua farsa,[1] la que alivió en posadas aldeanas el cansancio de los trajinantes, la que embobó en las plazas de humildes lugares a los simples villanos, la que juntó en ciudades populosas a los más variados concursos, como en París sobre el Puente Nuevo, cuando Tabarin[2] desde su tablado de feria solicitaba la atención de todo transeúnte, desde el espetado[3] doctor que detiene un momento su docta cabalgadura para desarrugar por un instante la frente, siempre cargada de graves pensamientos, al escuchar algún donaire de la alegre farsa, hasta el pícaro hampón que allí

---

[1] Bajo esta denominación de *la antigua farsa* ha de entenderse una referencia a las antiguas comedias o piezas cómicas populares con personajes caricaturescos o desmesurados, cuya manifestación más representativa se encuentra en la *commedia dell'arte* y en diversas obras por ella influidas.

[2] Famoso actor y mimo francés, fallecido en 1633.

[3] *espetado:* 'tieso, que afecta gravedad'.

divierte sus ocios horas y horas, engañando al hambre con la risa, y el prelado y la dama de calidad y el gran señor desde sus carrozas, como la moza alegre y el soldado y el mercader y el estudiante. Gente de toda condición, que en ningún otro lugar se hubiera reunido, comunicábase allí su regocijo, que muchas veces, más que de la farsa, reía el grave de ver reír al risueño, y el sabio al bobo, y los pobretes de ver reír a los grandes señores, ceñudos de ordinario, y los grandes de ver reír a los pobretes, tranquilizada su conciencia con pensar: ¡también los pobres ríen! Que nada prende tan pronto de unas almas en otras como esta simpatía de la risa. Alguna vez, también subió la farsa a palacios de príncipes, altísimos señores, por humorada de sus dueños, y no fue allí menos libre y despreocupada. Fue de todos y para todos. Del pueblo recogió burlas y malicias y dichos sentenciosos, de esa filosofía del pueblo, que siempre sufre, dulcificada por aquella resignación de los humildes de entonces, que no lo esperaban todo de este mundo, y por eso sabían reírse del mundo sin odio y sin amargura. Ilustró después su plebeyo origen con noble ejecutoria: Lope de Rueda, Shakespeare, Molière, como enamorados príncipes de cuento de hadas, elevaron a Cenicienta al más alto trono de la Poesía y del Arte. No presume de tan gloriosa estirpe esta farsa, que por curiosidad de su espíritu inquieto os presenta un poeta de ahora. Es una farsa *guiñolesca,* de asunto disparatado, sin realidad alguna. Pronto veréis cómo cuanto en ella sucede no pudo suceder nunca, que sus personajes no son ni semejan hombres y mujeres, sino muñecos o fantoches de cartón y trapo, con groseros hilos, visibles a poca luz y al más corto de vista. Son las mismas grotescas máscaras de aquella Comedia del Arte italiano, no tan regocijadas como solían, porque han meditado mucho en tanto tiempo. Bien conoce el autor que tan primitivo espectáculo no es el más digno de un culto auditorio de estos tiempos; así, de vuestra cultura tanto como de vuestra bondad se ampara. El autor sólo pide que aniñéis cuanto sea posible vuestro espíritu. El mundo está ya viejo y chochea; el Arte no se resigna a envejecer, y por parecer niño finge balbuceos... Y he aquí cómo estos viejos polichinelas[4] pretenden hoy divertiros con sus niñerías.

MUTACIÓN

CUADRO PRIMERO

PLAZA *de una ciudad. A la derecha, en primer término, fachada de una hostería con puerta practicable y en ella un aldabón. Encima de la puerta un letrero que diga: "Hostería".*[5]

ESCENA PRIMERA

LEANDRO y CRISPÍN, *que salen por la segunda izquierda.*

LEANDRO.   Gran ciudad ha de ser ésta, Crispín; en todo se advierte su señorío y riqueza.
CRISPÍN.   Dos ciudades hay. ¡Quiera el Cielo que en la mejor hayamos dado!
LEANDRO.   ¿Dos ciudades dices, Crispín? Ya entiendo, antigua y nueva, una de cada parte del río.

[4] El sentido del término *polichinela* queda explicado en los renglones precedentes, desde: "...sus personajes no son ni semejan..."
[5] *Hostería:* establecimiento de una cierta categoría donde se da comida y alojamiento mediante pago. Es término de origen italiano, que se emplea ya en el siglo XVI y que aparece en numerosos textos literarios, como la Hostería del Laurel en el drama *Don Juan Tenorio,* de Zorrilla. Benavente utiliza sin duda el término por su carácter sugeridor de antigüedad.

CRISPÍN.   ¿Qué importa el río ni la vejez ni la novedad? Digo dos ciudades como en toda ciudad del mundo: una para el que llega con dinero, y otra para el que llega como nosotros.

LEANDRO.   ¡Harto es haber llegado sin tropezar con la Justicia! Y bien quisiera detenerme aquí algún tiempo, que ya me cansa tanto correr tierras.

CRISPÍN.   A mí no, que es condición de los naturales, como yo, del libre reino de Picardía,[6] no hacer asiento en parte alguna, si no es forzado y en galeras, que es duro asiento. Pero ya que sobre esta ciudad caímos y es plaza fuerte a lo que se descubre, tracemos como prudentes capitanes nuestro plan de batalla si hemos de conquistarla con provecho.

LEANDRO.   ¡Mal pertrechado ejército venimos!

CRISPÍN.   Hombres somos, y con hombres hemos de vernos.

LEANDRO.   Por todo caudal, nuestra persona. No quisiste que nos desprendiéramos de estos vestidos, que, malvendiéndolos, hubiéramos podido juntar algún dinero.

CRISPÍN.   ¡Antes me desprendiera yo de la piel que de un buen vestido! Que nada importa tanto como parecer,[7] según va el mundo, y el vestido es lo que antes parece.

LEANDRO.   ¿Qué hemos de hacer, Crispín? Que el hambre y el cansancio me tienen abatido, y mal discurro.

CRISPÍN.   Aquí no hay sino valerse del ingenio y de la desvergüenza, que sin ella nada vale el ingenio. Lo que he pensado es que tú has de hablar poco y desabrido, para darte aires de persona de calidad; de vez en cuando te permito que descargues algún golpe sobre mis costillas; a

---

[6] "...reino de Picardía": aunque Picardía sea una región de Francia, el nombre es empleado por el autor para aludir a los pícaros en general.

[7] "Que nada importa tanto como parecer". Estas palabras de Crispín aproximan el recuerdo de un aforismo gracianesco: *"Hacer y hacer parecer.* Las cosas no pasan por lo que son, sino por lo que parecen. [...]" (Baltasar Gracián: *Obras Completas.* Madrid, Aguilar, 1960, p. 186.)

cuantos te pregunten, responde misterioso; y cuando
hables por tu cuenta, sea con gravedad; como si senten-
ciaras. Eres joven, de buena presencia; hasta ahora sólo
supiste malgastar tus cualidades; ya es hora de aprovecharse de ellas. Ponte en mis manos, que nada conviene
tanto a un hombre como llevar a su lado quien haga notar
sus méritos, que en uno mismo la modestia es necedad y
la propia alabanza locura, y con las dos se pierde para el
mundo. Somos los hombres como mercancía, que valemos
más o menos según la habilidad del mercader que nos presenta. Yo te aseguro que así fueras vidrio, a mi cargo corre
que pases por diamante. Y ahora llamemos a esta hostería, que lo primero es acampar a vista de la plaza.

LEANDRO.   ¿A la hostería dices? ¿Y cómo pagaremos?

CRISPÍN.   Si por tan poco te acobardas, busquemos un
hospital o casa de misericordia, o pidamos limosna, si a lo
piadoso nos acogemos; y si a lo bravo, volvamos al camino
y salteemos al primer viandante; si a la verdad de nuestros
recursos nos atenemos, no son otros nuestros recursos.

LEANDRO.   Yo traigo cartas de introducción para
personas de valimiento en esta ciudad, que podrán soco-
rrernos.

CRISPÍN.   ¡Rompe[7] luego esas cartas, y no pienses en
tal bajeza! ¡Presentarnos a nadie como necesitados!
¡Buenas cartas de crédito son ésas! Hoy te recibirán con
grandes cortesías, te dirán que su casa y su persona son
tuyas, y a la segunda vez que llames a su puerta, ya te
dirá el criado que su señor no está en casa ni para en
ella; y a otra visita, ni te abrirán la puerta. Mundo es éste
de toma y daca,[8] lonja de contratación, casa de cambio,
y antes de pedir, ha de ofrecerse.

LEANDRO.   ¿Y qué podré yo ofrecer si nada tengo?

---

[7] *luego:* 'inmediatamente, al instante', según uso hoy anti-
cuado.

[8] *Toma y daca* es expresión familiar y coloquial "que se usa
cuando hay trueque simultáneo de cosas o servicios o cuando
se hace un favor, esperando la reciprocidad inmediata". *Daca*
es contracción de *da,* imperativo de *dar,* y el adverbio *acá.*

CRISPÍN.   ¡En qué poco te estimas! Pues qué, un hombre por sí, ¿nada vale? Un hombre puede ser soldado, y con su valor decidir una victoria; puede ser galán o marido, y con dulce medicina curar a alguna dama de calidad o doncella de buen linaje que se sienta morir de melancolía; puede ser criado de algún señor poderoso que se aficione de él y le eleve hasta su privanza, y tantas cosas más que no he de enumerarte. Para subir, cualquier escalón es bueno.

LEANDRO.   ¿Y si aun ese escalón me falta?

CRISPÍN.   Yo te ofrezco mis espaldas para encumbrarte. Tú te verás en alto.

LEANDRO.   ¿Y si los dos damos en tierra?

CRISPÍN.   Que ella nos sea leve. *(Llamando a la hostería con el aldabón.)* ¡Ah de la hostería! ¡Hola, digo! ¡Hostelero o demonio! ¿Nadie responde? ¿Qué casa es ésta?

LEANDRO.   ¿Por qué esas voces si apenas llamaste?

CRISPÍN.   ¡Porque es ruindad hacer esperar de ese modo! *(Vuelve a llamar más fuerte.)* ¡Ah de la gente! ¡Ah de la casa! ¡Ah de todos los diablos!

HOSTELERO.   *(Dentro.)* ¿Quién va? ¿Qué voces y qué modos son estos? No hará tanto que esperan.

CRISPÍN.   ¡Ya fue mucho! Y bien nos informaron que es ésta muy ruin posada para gente noble.

ESCENA II

DICHOS, *el* HOSTELERO *y dos* MOZOS *que salen de la hostería.*

HOSTELERO.   *(Saliendo.)* Poco a poco, que no es posada, sino hospedería, y muy grandes señores han parado en ella.

CRISPÍN.   Quisiera yo ver a esos que llamáis grandes señores. Gentecilla de poco más o menos.[9] Bien se

---

[9] *de poco más o menos:* loc. adj. que se aplica a las personas o cosas despreciables o de poca estimación.

advierte en esos mozos que no saben conocer a las personas de calidad, y se están ahí como pasmarotes sin atender a nuestro servicio.

HOSTELERO. ¡Por vida que sois impertinente!

LEANDRO. Este criado mío siempre ha de extremar su celo. Buena es vuestra posada para el poco tiempo que he de parar en ella. Disponed luego un aposento para mí y otro para este criado, y ahorremos palabras.

HOSTELERO. Perdonad, señor; si antes hubierais hablado... Siempre los señores han de ser más comedidos que sus criados.

CRISPÍN. Es que este buen señor mío a todo se acomoda; pero yo sé lo que conviene a su servicio, y no he de pasar por cosa mal hecha. Conducidnos ya al aposento.

HOSTELERO. ¿No traéis bagaje alguno?

CRISPÍN. ¿Pensáis que nuestro bagaje es hatillo de soldado o de estudiante para traerlo a mano, ni que mi señor ha de traer aquí ocho carros, que tras nosotros vienen, ni que aquí ha de parar sino el tiempo preciso que conviene al secreto de los servicios que en esta ciudad le están encomendados?...

LEANDRO. ¿No callarás? ¿Qué secreto ha de haber contigo? ¡Pues voto a... que si alguien me descubre por tu hablar sin medida...! *(Le amenaza y le pega con la espada.)*

CRISPÍN. ¡Valedme, que me matará! *(Corriendo.)*

HOSTELERO. *(Interponiéndose entre* LEANDRO *y* CRISPÍN.*)* ¡Teneos, señor!

LEANDRO. Dejad que le castigue, que no hay falta para mí como el hablar sin tino.

HOSTELERO. ¡No le castiguéis, señor!

LEANDRO. ¡Dejadme, dejadme, que no aprenderá nunca! *(Al ir a pegar a* CRISPÍN, *éste se esconde detrás del* HOSTELERO, *quien recibe los golpes.)*

CRISPÍN. *(Quejándose.)* ¡Ay, ay, ay!

HOSTELERO. ¡Ay, digo yo, que me dio de plano!

LEANDRO. *(A* CRISPÍN.*)* Ve a lo que diste lugar; a que este infeliz fuera el golpeado. ¡Pídele perdón!

HOSTELERO. No es menester. Yo le perdono gustoso. *(A los criados.)* ¿Qué hacéis ahí parados? Disponed los aposentos donde suele parar el embajador de Mantua y preparad comida para este caballero.

CRISPÍN.   Dejad que yo les advierta de todo, que cometerán mil torpezas y pagaré yo luego, que mi señor, como veis, no perdona falta... Soy con vosotros, muchachos... Y tened cuenta a quién servís, que la mayor fortuna o la mayor desdicha os entró por las puertas. *(Entran los criados y* CRISPÍN *en la hostería.)*

HOSTELERO.   *(A* LEANDRO.*)* ¿Y podéis decirme vuestro nombre, de dónde venís y a qué propósito?...

LEANDRO.   *(Al ver salir a* CRISPÍN *de la hostería.)* Mi criado os lo dirá... Y aprended a no importunarme con preguntas... *(Entra en la hostería.)*

CRISPÍN.   ¡Buena la hicisteis! ¿Atreverse a preguntar a mi señor? Si os importa tenerle una hora siquiera en vuestra casa, no volváis a dirigirle la palabra.

HOSTELERO.   Sabed que hay Ordenanzas muy severas que así lo disponen.

CRISPÍN.   ¡Veníos con Ordenanzas a mi señor! ¡Callad, callad, que no sabéis a quién tenéis en vuestra casa, y si lo supierais no diríais tantas impertinencias!

HOSTELERO.   ¿Pero no he de saber siquiera...?

CRISPÍN.   ¡Voto a..., que llamaré a mi señor y él os dirá lo que conviene, si no lo entendisteis! ¡Cuidad de que nada le falte y atendedle con vuestros cinco sentidos, que bien puede pesaros! ¿No sabéis conocer a las personas? ¿No visteis ya quién es mi señor? ¿Qué replicáis? ¡Vamos ya! *(Entra en la hostería empujando al* HOSTELERO.*)*

ESCENA III

ARLEQUÍN *y el* CAPITÁN, *que salen por la segunda izquierda.*

ARLEQUÍN.   Vagando por los campos que rodean esta ciudad, lo mejor de ella sin duda alguna, creo que sin pensarlo hemos venido a dar frente a la hostería.

¡Animal de costumbre es el hombre! ¡Y dura costumbre la de alimentarse cada día!

CAPITÁN. ¡La dulce música de vuestros versos me distrajo de mis pensamientos! ¡Amable privilegio de los poetas!

ARLEQUÍN. ¡Que no les impide carecer de todo! Con temor llego a la hostería. ¿Consentirán hoy en fiarnos? ¡Válgame vuestra espada!

CAPITÁN. ¿Mi espada? Mi espada de soldado, como vuestro plectro[10] de poeta, nada valen en esta ciudad de mercaderes y de negociantes... ¡Triste condición es la nuestra!

ARLEQUÍN. Bien decís. No la sublime poesía, que sólo canta de nobles y elevados asuntos; ya ni sirve poner el ingenio a las plantas de los poderosos para elogiarlos o satirizarlos; alabanzas o diatribas no tienen valor para ellos; ni agradecen las unas ni temen las otras. El propio Aretino[11] hubiera muerto de hambre en estos tiempos.

CAPITÁN. ¿Y nosotros, decidme? Porque fuimos vencidos en las últimas guerras, más que por el enemigo poderoso, por esos indignos traficantes que nos gobiernan y nos enviaron a defender sus intereses sin fuerza y sin entusiasmo, porque nadie combate con fe por lo que no estima; ellos, que no dieron uno de los suyos para soldado ni soltaron moneda sino a buen interés y a mejor cuenta, y apenas temieron verla perdida amenazaron con hacer causa con el enemigo, ahora nos culpan a nosotros y nos maltratan y nos menosprecian y quisieran ahorrarse la mísera soldada con que creen pagarnos, y de muy buena gana nos despedirían si no temieran que un día todos los oprimidos por sus maldades y tiranías se

---

[10] *plectro*: 'palillo o púa que usaban los antiguos para tocar instrumentos de cuerda, y, en poesía, inspiración, estilo'.

[11] Pietro Aretino (1492-1556), escritor italiano, célebre por el carácter satírico y agudeza de sus composiciones, que le permitió contar con el apoyo de muchos poderosos de su tiempo, a quienes adulaba o criticaba según el pago que de ellos recibía.

levantarán contra ellos. ¡Pobres de ellos si ese día nos acordamos de qué parte están la razón y la justicia![12]

ARLEQUÍN.   Si así fuera..., ese día me tendréis a vuestro lado.

CAPITÁN.   Con los poetas no hay que contar para nada, que es vuestro espíritu como el ópalo, que a cada luz hace diversos visos. Hoy os apasionáis por lo que nace y mañana por lo que muere; pero más inclinados sois a enamoraros de todo lo ruinoso por melancólico. Y como sois por lo regular poco madrugadores, más veces visteis morir el sol que amanecer el día, y más sabéis de sus ocasos que de sus auroras.

ARLEQUÍN.   No lo diréis por mí, que he visto amanecer muchas veces cuando no tenía donde acostarme. ¿Y cómo queríais que cantara al día, alegre como alondra, si amanecía tan triste para mí? ¿Os decidís a probar fortuna?

CAPITÁN.   ¡Qué remedio! Sentémonos, y sea lo que disponga nuestro buen hostelero.

ARLEQUÍN.   ¡Hola! ¡Eh! ¿Quién sirve? (Llamando en la hostería.)

ESCENA IV

DICHOS; el HOSTELERO. Después los MOZOS, LEANDRO y CRISPÍN, que salen a su tiempo de la hostería.

HOSTELERO.   ¡Ah, caballeros! ¿Sois vosotros? Mucho lo siento, pero hoy no puedo servir a nadie en mi hostería.

CAPITÁN.   ¿Y por qué causa, si puede saberse?

HOSTELERO.   ¡Lindo desahogo es el vuestro en preguntarlo! ¿Pensáis que a mí me fía nadie lo que en mi casa se gasta?

_____

[12] En el lamentoso parlamento del Capitán acaso pueda percibirse todavía una crítica acerba al sacrificio del ejército en la guerra de 1898.

Retrato de Jacinto Benavente en 1947.

Fotografía de José Montero Alonso

El niño Jacinto Benavente Martínez.

CAPITÁN. ¡Ah! ¿Es ése el motivo? ¿Y no somos personas de crédito [13] a quien puede fiarse?

HOSTELERO. Para mí, no. Y como nunca pensé cobrar, para favor ya fue bastante; conque así, hagan merced de no volver por mi casa.

ARLEQUÍN. ¿Creéis que todo es dinero en este bajo mundo? ¿Contáis por nada las ponderaciones que de vuestra casa hicimos en todas partes? ¡Hasta un soneto os tengo dedicado, y en él celebro vuestras perdices estofadas y vuestros pasteles de liebre!... Y en cuanto al señor Capitán, tened por seguro que él solo sostendrá contra un ejército el buen nombre de vuestra casa. ¿Nada vale esto? ¡Todo ha de ser moneda contante en el mundo!

HOSTELERO. ¡No estoy para burlas! No he menester de vuestros sonetos ni de la espada del señor Capitán, que mejor pudiera emplearla.

CAPITÁN. ¡Voto a..., que sí la emplearé escarmentando a un pícaro! *(Amenazándole y pegándole con la espada.)*

HOSTELERO. *(Gritando.)* ¿Qué es esto? ¿Contra mí? ¡Favor! ¡Justicia!

ARLEQUÍN. *(Conteniendo al* CAPITÁN.*)* ¡No os perdáis por tan ruin sujeto!

CAPITÁN. He de matarle. *(Pegándole.)*

HOSTELERO. ¡Favor! ¡Justicia!

MOZOS. *(Saliendo de la hostería.)* ¡Que matan a nuestro amo!

HOSTELERO. Socorredme.

CAPITÁN. ¡No dejaré uno!

HOSTELERO. ¿No vendrá nadie?

LEANDRO. *(Saliendo con* CRISPÍN.*)* ¿Qué alboroto es éste?

CRISPÍN. ¿En lugar donde mi señor se hospeda? ¿No hay sosiego posible en vuestra casa? Yo traeré a la Justicia, que pondrá orden en ello.

---

[13] Falta de concordancia —"personas a quien"— que responde a un uso arcaico.

HOSTELERO.   ¡Esto ha de ser mi ruina! ¡Con tan gran señor en mi casa!

ARLEQUÍN.   ¿Quién es él?

HOSTELERO.   ¡No oséis preguntarlo!

CAPITÁN.   Perdonad, señor, si turbamos vuestro reposo; pero este ruin hostelero...

HOSTELERO.   No fue mía la culpa, señor, sino de estos desvergonzados...

CAPITÁN.   ¿A mí desvergonzado? ¡No miraré nada!...

CRISPÍN.   ¡Alto, señor Capitán, que aquí tenéis quien satisfaga vuestros agravios, si los tenéis de este hombre!

HOSTELERO.   Figuraos que ha más de un mes que comen a mi costa sin soltar blanca,[14] y porque me negué hoy a servirles se vuelven contra mí.

ARLEQUÍN.   Yo no, que todo lo llevo con paciencia.

CAPITÁN.   ¿Y es razón que a un soldado no se le haga crédito?

ARLEQUÍN.   ¿Y es razón que en nada se estime un soneto con estrambote que compuse a sus perdices estofadas y a sus pasteles de liebre?... Todo por fe, que no los probé nunca, sino carnero y potajes.

CRISPÍN.   Estos dos nobles señores dicen muy bien, y es indignidad tratar de ese modo a un poeta y a un soldado.

ARLEQUÍN.   ¡Ah, señor; sois un alma grande!

CRISPÍN.   Yo, no. Mi señor, aquí presente; que como tan gran señor, nada hay para él en el mundo como un poeta y un soldado.

LEANDRO.   Cierto.

CRISPÍN.   Y estad seguros de que mientras él pare en esta ciudad no habéis de carecer de nada, y cuanto gasto hagáis aquí corre de su cuenta.

LEANDRO.   Cierto.

CRISPÍN.   ¡Y mírese mucho el hostelero en trataros como corresponde!

---

[14] Moneda antigua. Hoy perduran las expresiones *estar sin blanca, no tener blanca*, 'estar sin dinero, no tener dinero'.

HOSTELERO. ¡Señor!

CRISPÍN. Y no seáis tan avaro de vuestras perdices ni de vuestras empanadas de gato, que no es razón que un poeta como el señor Arlequín hable por sueño de cosas tan palpables...

ARLEQUÍN. ¿Conocéis mi nombre?

CRISPÍN. Yo, no; pero mi señor, como tan gran señor, conoce a cuantos poetas existen y existieron, siempre que sean dignos de ese nombre.

LEANDRO. Cierto.

CRISPÍN. Y ninguno tan grande como vos, señor Arlequín; y cada vez que pienso que aquí no se os ha guardado todo el respeto que merecéis...

HOSTELERO. Perdonad, señor. Yo les serviré como mandáis, y basta que seáis su fiador...

CAPITÁN. Señor, si en algo puedo serviros...

CRISPÍN. ¿Es poco servicio el conoceros? ¡Glorioso Capitán, digno de ser cantado por este solo poeta!...

ARLEQUÍN. ¡Señor!

CAPITÁN. ¡Señor!

ARLEQUÍN. ¿Y os son conocidos mis versos?

CRISPÍN. ¿Cómo conocidos? ¡Olvidados los tengo! ¿No es vuestro aquel soneto admirable que empieza: "La dulce mano que acaricia y mata"?

ARLEQUÍN. ¿Cómo decís?

CRISPÍN. "La dulce mano que acaricia y mata."

ARLEQUÍN. ¿Ése decís? No, no es mío ese soneto.

CRISPÍN. Pues merece ser vuestro. Y de vos, Capitán, ¿quién no conoce las hazañas? ¿No fuisteis el que sólo con veinte hombres asaltó el castillo de las Peñas Rojas en la famosa batalla de los Campos Negros?

CAPITÁN. ¿Sabéis...?

CRISPÍN. ¿Cómo si sabemos? ¡Oh! ¡Cuántas veces se lo oí referir a mi señor entusiasmado! Veinte hombres, veinte y vos delante, y desde el castillo... ¡bum! ¡bum! ¡bum!, disparos, y bombardas,[15] y pez hirviente,

---

[15] *bombarda:* 'nombre genérico que se daba a las antiguas piezas de artillería'.

y demonios encendidos... ¡Y los veinte hombres como un solo hombre y vos delante! Y los de arriba... ¡bum! ¡bum! ¡bum! Y los tambores... ¡ran, rataplán, plan! Y los clarines... ¡tararí, tarí, tarí!... Y vosotros sólo con vuestra espada y vos sin espada... ¡ris, ris, ris!, golpe aquí, golpe allí..., una cabeza, un brazo... *(Empieza a golpes con la espada, dándoles de plano al* HOSTELERO *y a los* MOZOS.)

MOZOS.   ¡Ay, ay!

HOSTELERO.   ¡Téngase, que se apasiona como si pasara!

CRISPÍN.   ¿Cómo si me apasiono? Siempre sentí yo el *animus belli.*[16]

CAPITÁN.   No parece sino que os hallasteis presente.

CRISPÍN.   Oírselo referir a mi señor, es como verlo, mejor que verlo. ¡Y a un soldado así, al héroe de las Peñas Rojas en los Campos Negros se le trata de esa manera!... ¡Ah! Gran suerte fue que mi señor se hallase presente, y que negocios de importancia le hayan traído a esta ciudad, donde él hará que se os trate con respeto, como merecéis... ¡Un poeta tan alto, un tan gran capitán! *(A los* MOZOS.) ¡Pronto! ¿Qué hacéis ahí como estafermos?[17] Servidles de lo mejor que haya en vuestra casa, y ante todo una botella del mejor vino, que mi señor quiere beber con estos caballeros, y lo tendrá a gloria... ¿Qué hacéis ahí? ¡Pronto!

HOSTELERO.   ¡Voy, voy! ¡No he librado de mala! *(Se va con los* MOZOS *a la hostería.)*

ARLEQUÍN.   ¡Ah, señor! ¿Cómo agradeceros...?

CAPITÁN.   ¿Cómo pagaros...?

CRISPÍN.   ¡Nadie hable aquí de pagar, que es palabra que ofende! Sentaos, sentaos, que para mi señor, que a tantos príncipes y grandes ha sentado a su mesa, será éste el mayor orgullo.

LEANDRO.   Cierto.

---

[16] *animus belli:* 'el espíritu de la guerra'.

[17] *estafermo:* 'persona que está parada y como embobada y sin acción'.

CRISPÍN. Mi señor no es de muchas palabras; pero, como veis, esas pocas son otras tantas sentencias llenas de sabiduría.

ARLEQUÍN. En todo muestra su grandeza.

CAPITÁN. No sabéis cómo conforta nuestro abatido espíritu hallar un gran señor como vos, que así nos considera.

CRISPÍN. Esto no es nada, que yo sé que mi señor no se contenta con tan poco y será capaz de llevaros consigo y colocaros en tan alto estado...

LEANDRO. *(Aparte a* CRISPÍN.*)* No te alargues en palabras, Crispín...

CRISPÍN. Mi señor no gusta de palabras, pero ya le conoceréis por las obras.

HOSTELERO. *(Saliendo con los* MOZOS, *que traen las viandas y ponen la mesa.)* Aquí está el vino... y la comida.

CRISPÍN. ¡Beban, beban y coman y no se priven de nada, que mi señor corre con todo, y si algo os falta, no dudéis en decirlo, que mi señor pondrá orden en ello, que el hostelero es dado a descuidarse!

HOSTELERO. No por cierto; pero comprenderéis...

CRISPÍN. No digáis palabra, que diréis una impertinencia.

CAPITÁN. ¡A vuestra salud!

LEANDRO. ¡A la vuestra, señores! ¡Por el más grande poeta y el mejor soldado!

ARLEQUÍN. ¡Por el más noble señor!

CAPITÁN. ¡Por el más generoso!

CRISPÍN. Y yo también he de beber, aunque sea atrevimiento. Por este día grande entre todos que juntó al más alto poeta, al más valiente capitán, al más noble señor y al más leal criado... Y permitid que mi señor se despida, que los negocios que le traen a esta ciudad no admiten demora.

LEANDRO. Cierto.

CRISPÍN. ¿No faltaréis a presentarle vuestros respetos cada día?

ARLEQUÍN. Y a cada hora; y he de juntar a todos los

músicos y poetas de mi amistad para festejarle con
música y canciones.

CAPITÁN. Y yo he de traer a toda mi compañía con
antorchas y luminarias.

LEANDRO. Ofenderéis mi modestia...

CRISPÍN. Y ahora, comed, bebed... ¡Pronto! Servid a
estos señores... *(Aparte al* CAPITÁN.*)* Entre nosotros...,
¿estaréis sin blanca?

CAPITÁN. ¿Qué hemos de deciros?

CRISPÍN. ¡No digáis más! *(Al* HOSTELERO.*)* ¡Eh!
¡Aquí! Entregaréis a estos caballeros cuarenta o cincuenta escudos por encargo de mi señor y de parte
suya... ¡No dejéis de cumplir sus órdenes!

HOSTELERO. ¡Descuidad! ¿Cuarenta o cincuenta,
decís?

CRISPÍN. Poned sesenta... ¡Caballeros, salud!

CAPITÁN. ¡Viva el más grande caballero!

ARLEQUÍN. ¡Viva!

CRISPÍN. ¡Decid ¡viva! también vosotros, gente incivil!

HOSTELERO y MOZOS. ¡Viva!

CRISPÍN. ¡Viva el más alto poeta y el mayor soldado!

TODOS. ¡Viva!

LEANDRO. *(Aparte a* CRISPÍN.*)* ¿Qué locuras son
éstas, Crispín, y cómo saldremos de ellas?

CRISPÍN. Como entramos. Ya lo ves; la poesía y las
armas son nuestras... ¡Adelante! ¡Sigamos la conquista
del mundo! *(Todos se hacen saludos y reverencias, y*
LEANDRO *y* CRISPÍN *se van por la segunda izquierda. El*
CAPITÁN *y* ARLEQUÍN *se disponen a comer los asados
que les han preparado el* HOSTELERO *y los* MOZOS *que
los sirven.)*

MUTACIÓN

CUADRO SEGUNDO

JARDÍN *con fachada de un pabellón, con puerta practicable en primer término izquierda. Es de noche.*

ESCENA PRIMERA

DOÑA SIRENA y COLOMBINA *saliendo del pabellón.*

SIRENA.   ¿No hay para perder el juicio, Colombina? ¡Que una dama se vea en trance tan afrentoso por gente baja y descomedida! ¿Cómo te atreviste a volver a mi presencia con tales razones?

COLOMBINA.   ¿Y no habíais de saberlo?

SIRENA.   ¡Morir me estaría mejor! ¿Y todos te dijeron lo mismo?

COLOMBINA.   Uno por uno y como lo oísteis... El sastre, que no os enviará el vestido mientras no le paguéis todo lo adeudado.

SIRENA.   ¡El insolente! ¡El salteador de caminos! ¡Cuando es él quien me debe todo su crédito en esta ciudad, que hasta emplearlo yo en el atavío de mi persona no supo lo que era vestir damas!

COLOMBINA.   Y los cocineros y los músicos y los criados todos dijeron lo mismo: que no servirán esta noche en la fiesta si no les pagáis por adelantado.

SIRENA.   ¡Los sayones! ¡Los forajidos! ¡Cuándo se vio tanta insolencia en gente nacida para servirnos! ¿Es que ya no se paga más que con dinero? ¿Es que ya sólo se estima el dinero en el mundo? ¡Triste de la que se ve como yo, sin el amparo de un marido, ni de parientes, ni de allegados masculinos...! Que una mujer sola nada vale en el mundo por noble y virtuosa que sea. ¡Oh, tiempos de perdición! ¡Tiempos del Apocalipsis! ¡El Anticristo debe ser llegado!

COLOMBINA.   Nunca os vi tan apocada. Os desconozco. De mayores apuros supisteis salir adelante.

SIRENA. Eran otros tiempos, Colombina. Contaba yo entonces con mi juventud y con mi belleza como poderosos aliados. Príncipes y grandes señores rendíanse a mis plantas.

COLOMBINA. En cambio, no sería tanta vuestra experiencia y conocimiento del mundo como ahora. Y en cuanto a vuestra belleza, nunca estuvo tan en su punto, podéis creerlo.

SIRENA. ¡Deja lisonjas! ¡Cuándo me vería yo de este modo si fuera la doña Sirena de mis veinte!

COLOMBINA. ¿Años queréis decir?

SIRENA. ¿Pues qué pensaste? ¡Y qué diré de ti, que aún no los cumpliste y no sabes aprovecharlo! ¡Nunca lo creyera cuando al verme tan sola de criada te adopté por sobrina! Si en vez de malograr tu juventud enamorándote de ese Arlequín, ese poeta que nada puede ofrecerte sino versos y músicas, supieras emplearte mejor, no nos veríamos en tan triste caso!

COLOMBINA. ¿Qué queréis? Aún soy demasiado joven para resignarme a ser amada y no corresponder. Y si he de adiestrarme en hacer padecer por mi amor, necesito saber antes cómo se padece cuando se ama. Yo sabré desquitarme. Aún no cumplí los veinte años. No me creáis con tan poco juicio que piense en casarme con Arlequín.

SIRENA. No me fío de ti, que eres muy caprichosa y siempre te dejaste llevar de la fantasía. Pero pensemos en lo que ahora importa. ¿Qué haremos en tan gran apuro? No tardarán en acudir mis convidados, todos personas de calidad y de importancia, y entre ellas el señor Polichinela con su esposa y su hija, que por muchas razones me importan más que todos. Ya sabes cómo frecuentan esta casa algunos caballeros nobilísimos, pero, como yo, harto deslucidos en su nobleza por falta de dinero. Para cualquiera de ellos, la hija del señor Polichinela, con su riquísima dote y el gran caudal que ha de heredar a la muerte de su padre, puede ser un partido muy ventajoso. Muchos son los que la pretenden. En favor de todos ellos interpongo yo mi buena amistad con el señor Polichinela y su esposa. Cualquiera que sea el favorecido, yo sé que ha de corresponder con larrgueza a mis buenos oficios,[18] que de todos me hice firmar una obligación para asegurarme. Ya no me quedan otros medios que estas mediaciones para reponer en algo mi patrimonio; si de camino algún rico comerciante o mercader se prendara de ti..., ¿quién sabe?..., aún podía ser esta casa lo que fue en otro tiempo. Pero si esta noche la insolencia de esa gente trasciende, si no puedo ofrecer la fiesta... ¡No quiero pensarlo..., que será mi ruina!

COLOMBINA. No paséis cuidado. Con qué agasajarlos no ha de faltar. Y en cuanto a músicos y a criados, el señor Arlequín, que por algo es poeta y para algo está enamorado de mí, sabrá improvisarlo todo. Él conoce a muchos truhanes de buen humor que han de prestarse a todo. Ya veréis, no faltará nada, y vuestros convidados dirán que no asistieron en su vida a tan maravillosa fiesta.

SIRENA. ¡Ay, Colombina! Si eso fuera, ¡cuánto ganarías en mi afecto! Corre en busca de tu poeta... No hay que perder tiempo.

COLOMBINA. ¿Mi poeta? Del otro lado de estos jardines pasea, de seguro, aguardando una seña mía...

SIRENA. No será bien que asista a vuestra entrevista, que yo no debo rebajarme en solicitar tales favores... A tu cargo lo dejo. ¡Que nada falte para la fiesta, y yo sabré recompensar a todos; que esta estrechez angustiosa de ahora no puede durar siempre... o no sería yo doña Sirena!

COLOMBINA. Todo se compondrá. Id descuidada.

(Vase doña SIRENA por el pabellón.)

---

[18] *buenos oficios:* 'diligencias eficaces en pro de otro'. Los *buenos oficios* de Doña Sirena son, evidentemente, de carácter celestinesco.

ESCENA II

COLOMBINA, *después* CRISPÍN, *que sale por la segunda derecha.*

COLOMBINA. *(Dirigiéndose a la segunda derecha y llamando.)* ¡Arlequín! ¡Arlequín! *(Al ver salir a* CRISPÍN.*)* ¡No es él!

CRISPÍN. No temáis, hermosa Colombina, amada del más soberano ingenio, que por ser raro poeta en todo, no quiso extremar en sus versos las ponderaciones de vuestra belleza. Si de lo vivo a lo pintado fue siempre diferencia, es toda en esta ocasión ventaja de lo vivo, ¡con ser tal la pintura!

COLOMBINA. Y vos, ¿sois también poeta, o sólo cortesano y lisonjero?

CRISPÍN. Soy el mejor amigo de vuestro enamorado Arlequín, aunque sólo de hoy le conozco, pero tales pruebas tuvo de mi amistad en tan corto tiempo. Mi mayor deseo fue el de saludaros, y el señor Arlequín no anduviera tan discreto en complacerme a no fiar tanto de mi amistad, que sin ella, fuera ponerme a riesgo de amaros sólo con haberme puesto en ocasión de veros.

COLOMBINA. El señor Arlequín fiaba tanto en el amor que le tengo como en la amistad que le tenéis. No pongáis todo el mérito de vuestra parte, que es tan necia presunción perdonar la vida a los hombres como el corazón a las mujeres.

CRISPÍN. Ahora advierto que no sois tan peligrosa al que os ve como al que llega a escucharos.

COLOMBINA. Permitid; pero antes de la fiesta preparada para esta noche he de hablar con el señor Arlequín, y...

CRISPÍN. No es preciso. A eso vine, enviado de su parte y de parte de mi señor, que os besa las manos.

COLOMBINA. ¿Y quién es vuestro señor, si puede saberse?

CRISPÍN. El más noble caballero, el más poderoso...

Permitid que por ahora calle su nombre; pronto habéis de conocerle. Mi señor desea saludar a doña Sirena y asistir a su fiesta esta noche.

COLOMBINA. ¡La fiesta! ¿No sabéis...?

CRISPÍN. Lo sé. Mi deber es averiguarlo todo. Sé que hubo inconvenientes que pudieron estorbarla; pero no habrá ninguno, todo está prevenido.

COLOMBINA. ¿Cómo sabéis...?

CRISPÍN. Yo os aseguro que no faltará nada. Suntuoso agasajo, luminarias y fuegos de artificio, músicos y cantores. Será la más lucida fiesta del mundo...

COLOMBINA. ¿Sois algún encantador por ventura?

CRISPÍN. Ya me iréis conociendo. Sólo os diré que por algo juntó hoy el destino a gente de tan buen entendimiento, incapaz de malograrlo con vanos escrúpulos. Mi señor sabe que esta noche asistirá a la fiesta el señor Polichinela, con su hija única, la hermosa Silvia, el mejor partido de esta ciudad. Mi señor ha de enamorarla, mi señor ha de casarse con ella y mi señor sabrá pagar como corresponde los buenos oficios de doña Sirena y los vuestros también si os prestáis a favorecerle.

COLOMBINA. No andáis con rodeos. Debiera ofenderme vuestro atrevimiento.

CRISPÍN. El tiempo apremia y no me dio lugar a ser comedido.

COLOMBINA. Si ha de juzgarse del amo por el criado...

CRISPÍN. No temáis. A mi amo le hallaréis el más cortés y atento caballero. Mi desvergüenza le permite a él mostrarse vergonzoso. Duras necesidades de la vida pueden obligar al más noble caballero a empleos de rufián, como a la más noble dama a bajos oficios, y esta mezcla de ruindad y nobleza en un mismo sujeto desluce con el mundo. Habilidad es mostrar separado en dos sujetos lo que suele andar junto en uno solo. Mi señor y yo, con ser uno mismo, somos cada uno una parte del otro. ¡Si así fuera siempre! Todos llevamos en nosotros un gran señor de altivos pensamientos, capaz de todo lo grande y de todo lo bello... Y a su lado, el servidor humilde, el de las ruines obras, el que ha de emplearse

en las bajas acciones a que obliga la vida... Todo el arte
está en separarlos de tal modo, que cuando caemos en
alguna bajeza podamos decir siempre: no fue mía, no fui
yo, fue mi criado. En la mayor miseria de nuestra vida
siempre hay algo en nosotros que quiere sentirse supe-
rior a nosotros mismos. Nos despreciaríamos demasiado
si no creyésemos valer más que nuestra vida... Ya sabéis
quién es mi señor: el de los altivos pensamientos, el de
los bellos sueños. Ya sabéis quién soy yo: el de los ruines empleos, el que siempre, muy bajo, rastrea y socava
entre toda mentira y toda indignidad y toda miseria.
Sólo hay algo en mí que me redime y me eleva a mis
propios ojos. Esta lealtad de mi servidumbre, esta lealtad que se humilla y se arrastra para que otro pueda
volar y pueda ser siempre el señor de los altivos pensamientos, el de los bellos sueños. *(Se oye música dentro.)*

COLOMBINA.   ¿Qué música es ésa?

CRISPÍN. · La que mi señor trae a la fiesta, con todos
sus pajes y todos sus criados y toda una corte de poetas
y cantores presididos por el señor Arlequín, y toda una
legión de soldados con el Capitán al frente escoltándole
con antorchas...

COLOMBINA.   ¿Quién es vuestro señor, que tanto
puede? Corro a prevenir a mi señora...

CRISPÍN.   No es preciso. Ella acude.

ESCENA III

DICHOS y DOÑA SIRENA, *que sale por el pabellón.*

SIRENA.   ¿Qué es esto? ¿Quién previno[19] esa
música? ¿Qué tropel de gente llega a nuestra puerta?

COLOMBINA.   No preguntéis nada. Sabed que hoy
llegó a esta ciudad un gran señor, y es él quien os ofrece
la fiesta esta noche. Su criado os informará de todo. Yo
aún no sabré deciros si hablé con un gran loco o con un

---

[19] *previno:* 'preparó'.

gran bribón. De cualquier modo, os aseguro que él es un hombre extraordinario...

SIRENA.   ¿Luego no fue Arlequín...?

COLOMBINA.   No preguntéis... Todo es como cosa de magia...

CRISPÍN.   Doña Sirena, mi señor os pide licencia para besaros las manos. Tan alta señora y tan noble señor no han de entender en intrigas impropias de su condición. Por eso, antes que él llegue a saludaros yo he de decirlo todo. Yo sé de vuestra historia mil notables sucesos que, referidos, me asegurarían toda vuestra confianza... Pero fuera impertinencia puntualizarlos. Mi amo os asegura aquí *(entregándola*[19] *un papel)* con su firma la obligación que ha de cumpliros si de vuestra parte sabéis cumplir lo que aquí os propone.

SIRENA.   ¿Qué papel y qué obligación es ésta? *(Leyendo el papel para sí.)* ¡Cómo! ¿Cien mil escudos de presente y otros tantos a la muerte del señor Polichinela si llega a casarse con su hija? ¿Qué insolencia es ésta? ¿A una dama? ¿Sabéis con quién habláis? ¿Sabéis qué casa es ésta?

CRISPÍN.   Doña Sirena... ¡excusad la indignación! No hay nadie presente que pueda importaros. Guardad ese papel junto con otros..., y no se hable más del asunto. Mi señor no os propone nada indecoroso ni vos consentiríais en ello... Cuanto aquí suceda será obra de la casualidad y del amor. Fui yo, el criado, el único que tramó estas cosas indignas. Vos sois siempre la noble dama, mi amo el noble señor, que al encontraros esta noche en la fiesta, hablaréis de mil cosas galantes y delicadas, mientras vuestros convidados pasean y conversan a vuestro alrededor, con admiraciones a la hermosura de

---

[19] Laísmo, repetido varias veces en el texto. Aparece en las primeras ediciones de *Los intereses creados* (Madrid, Sociedad de Autores, 1908; Madrid, Impr. de los Sucs. de Hernando, 1909, etc.) y es suprimido en las posteriores, acaso por corrección de los editores. Cfr. M. Seco: *Diccionario de dudas y dificultades de la lengua española,* Madrid, Espasa-Calpe, 1986 [9.ª ed.].

las damas, al arte de sus galas, a la esplendidez del agasajo, a la dulzura de la música y a la gracia de los bailari-
nes... ¿Y quién se atreverá a decir que no es esto todo?
¿No es así la vida, una fiesta en que la música sirve para
disimular palabras y las palabras para disimular pensamientos? Que la música suene incesante, que la conversación se anime con alegres risas, que la cena esté bien
servida..., es todo lo que importa a los convidados. Y ved
aquí a mi señor que llega a saludaros con toda gentileza.

ESCENA IV

DICHOS, LEANDRO, ARLEQUÍN y el CAPITÁN, *que salen
por la segunda derecha.*

LEANDRO.   Doña Sirena, bésoos las manos.

SIRENA.   Caballero...

LEANDRO.   Mi criado os habrá dicho en mi nombre
cuanto yo pudiera deciros.

CRISPÍN.   Mi señor, como persona grave, es de pocas
palabras. Su admiración es muda.

ARLEQUÍN.   Pero sabe admirar sabiamente.

CAPITÁN.   El verdadero mérito.

ARLEQUÍN.   El verdadero valor.

CAPITÁN.   El arte incomparable de la poesía.

ARLEQUÍN.   La noble ciencia militar.

CAPITÁN.   En todo muestra su grandeza.

ARLEQUÍN.   Es el más noble caballero del mundo.

CAPITÁN.   Mi espada siempre estará a su servicio.

ARLEQUÍN.   He de consagrar a su gloria mi mejor
poema.

CRISPÍN.   Basta, basta, que ofenderéis su natural
modestia. Vedle cómo quisiera ocultarse y desaparecer.
Es una violeta.[20]

SIRENA.   No necesita hablar quien de este modo

---

[20] *Es una violeta:* metáfora para destacar la timidez y delica-
deza de Leandro.

hace hablar a todos en su alabanza. *(Después de un saludo y reverencia se van todos por la primera derecha. A* COLOMBINA.) ¿Qué piensas de todo esto, Colombina?

COLOMBINA. Que el caballero tiene muy gentil figura y el criado muy gentil desvergüenza.

SIRENA. Todo puede aprovecharse. O yo no sé nada del mundo ni de los hombres, o la fortuna se entró hoy por mis puertas.

COLOMBINA. Pues segura es entonces la fortuna; porque del mundo sabéis algo, y de los hombres, ¡no se diga!

SIRENA. Risela y Laura, que son las primeras en llegar...

COLOMBINA. ¿Cuándo fueron ellas las últimas en llegar a una fiesta? Os dejo en su compañía, que yo no quiero perder de vista a nuestro caballero... *(Vase por la primera derecha.)*

ESCENA V

DOÑA SIRENA, LAURA y RISELA, *que salen por la segunda derecha.*

SIRENA. ¡Amigas! Ya comenzaba a dolerme de vuestra ausencia.

LAURA. ¿Pues es tan tarde?

SIRENA. Siempre lo es para veros.

RISELA. Otras dos fiestas dejamos por no faltar a vuestra casa.

LAURA. Por más que alguien nos dijo que no sería esta noche por hallaros algo indispuesta.

SIRENA. Sólo por dejar mal a los maldicientes, aun muriendo la hubiera tenido.

RISELA. Y nosotras nos hubiéramos muerto y no hubiéramos dejado de asistir a ella.

LAURA. ¿No sabéis la novedad?

RISELA. No se habla de otra cosa.

LAURA.   Dicen que ha llegado un personaje misterioso. Unos dicen que es embajador secreto de Venecia o de Francia.

RISELA.   Otros dicen que viene a buscar esposa para el Gran Turco.

LAURA.   Aseguran que es lindo como un Adonis.

RISELA.   Si nos fuera posible conocerle... Debisteis invitarle a vuestra fiesta.

SIRENA.   No fue preciso, amigas, que él mismo envió un embajador a pedir licencia para ser recibido. Y en mi casa está y le veréis muy pronto.

LAURA.   ¿Qué decís? Ved si anduvimos acertadas en dejarlo todo por asistir a vuestra casa.

RISELA.   ¡Cuántas nos envidiarán esta noche!

LAURA.   Todos rabian por conocerle.

SIRENA.   Pues yo nada hice por lograrlo. Bastó que él supiera que yo tenía fiesta en mi casa.

RISELA.   Siempre fue lo mismo con vos. No llega persona importante a la ciudad que luego no os ofrezca sus respetos.

LAURA.   Ya se me tarda en verle... Llevadnos a su presencia por vuestra vida.

RISELA.   Sí, sí, llevadnos.

SIRENA.   Permitid, que llega el señor Polichinela con su familia... Pero id sin mí; no os será difícil hallarle.

RISELA.   Sí, sí; vamos, Laura.

LAURA.   Vamos, Risela. Antes de que aumente la confusión y no nos sea posible acercarnos. *(Vanse por la primera derecha.)*

ESCENA VI

DOÑA SIRENA, POLICHINELA, LA SEÑORA DE POLICHINELA Y SILVIA, *que salen por la segunda derecha.*

SIRENA.   ¡Oh, señor Polichinela! Ya temí que no vendríais. Hasta ahora no comenzó para mí la fiesta.

POLICHINELA. No fue culpa mía la tardanza. Fue de mi mujer, que entre cuarenta vestidos no supo nunca cuál ponerse.

SEÑORA DE POLICHINELA. Si por él fuera, me presentaría de cualquier modo... Ved cómo vengo de sofocada por apresurarme.

SIRENA. Venís hermosa como nunca.

POLICHINELA. Pues aún no trae la mitad de sus joyas. No podría con tanto peso.

SIRENA. ¿Y quién mejor puede ufanarse con que su esposa ostente el fruto de una riqueza adquirida con vuestro trabajo?

SEÑORA DE POLICHINELA. Pero, ¿no es hora ya de disfrutar de ella, como yo le digo, y de tener más nobles aspiraciones? Figuraos que ahora quiere casar a nuestra hija con un negociante.

SIRENA. ¡Oh, señor Polichinela! Vuestra hija merece mucho más que un negociante. No hay que pensar en eso. No debéis sacrificar su corazón por ningún interés. ¿Qué dices tú, Silvia?

POLICHINELA. Ella preferirá algún barbilindo,[21] que, muy a pesar mío, es muy dada a novelas y poesía.

SILVIA. Yo haré siempre lo que mi padre ordene, si a mi madre no le contraría y a mí no me disgusta.

SIRENA. Eso es hablar con juicio.

SEÑORA DE POLICHINELA. Tu padre piensa que sólo el dinero vale y se estima en el mundo.

POLICHINELA. Yo pienso que sin dinero no hay cosa que valga ni se estime en el mundo; que es el precio de todo.

SIRENA. ¡No habléis así! ¿Y las virtudes, y el saber, y la nobleza?

POLICHINELA. Todo tiene su precio, ¿quién lo duda? Nadie mejor que yo lo sabe, que compré mucho de todo eso, y no muy caro.

---

[21] *barbilindo:* 'galancete, preciado de lindo y bien parecido'. El término, en boca de Polichinela, adquiere sentido peyorativo.

SIRENA.   ¡Oh, señor Polichinela! Es humorada vuestra. Bien sabéis que el dinero no es todo, y que si vuestra hija se enamorara de algún noble caballero, no sería bien contrariarla. Yo sé que tenéis un sensible corazón de padre.

POLICHINELA.   Eso sí. Por mi hija sería yo capaz de todo.

SIRENA.   ¿Hasta de arruinaros?

POLICHINELA.   Eso no sería una prueba de cariño. Antes sería capaz de robar, de asesinar..., de todo.

SIRENA.   Ya sé que siempre sabríais rehacer vuestra fortuna. Pero la fiesta se anima. Ven conmigo, Silvia. Para danzar téngote destinado un caballero, que habéis de ser la más lucida pareja... *(Se dirigen todos a la primera derecha. Al ir a salir el señor* POLICHINELA, CRISPÍN, *que entra por la segunda derecha, le detiene.)*

ESCENA VII

CRISPÍN y POLICHINELA.

CRISPÍN.   ¡Señor Polichinela! Con licencia.

POLICHINELA.   ¿Quién me llama? ¿Qué me queréis?

CRISPÍN.   ¿No recordáis de mí? No es extraño. El tiempo todo lo borra, y cuando es algo enojoso lo borrado, no deja ni siquiera el borrón como recuerdo, sino que se apresura a pintar sobre él con alegres colores, esos alegres colores con que ocultáis al mundo vuestras jorobas.[22] Señor Polichinela, cuando yo os conocí, apenas las cubrían unos descoloridos andrajos.

POLICHINELA.   ¿Y quién eres tú y dónde pudiste conocerme?

CRISPÍN.   Yo era un mozuelo, tú eras ya todo un hombre. Pero ¿has olvidado ya tantas gloriosas hazañas

---

[22] jorobas, en plural, porque el personaje de Polichinela es presentado con dos jorobas, una en la espalda y otra en el pecho.

por esos mares, tantas victorias ganadas al turco, a que no poco contribuimos con nuestro heroico esfuerzo, unidos los dos al mismo noble remo en la misma gloriosa nave?

POLICHINELA. ¡Imprudente! ¡Calla o...!

CRISPÍN. O harás conmigo como con tu primer amo en Nápoles, y con tu primera mujer en Bolonia, y con aquel mercader judío en Venecia...

POLICHINELA. ¡Calla! ¿Quién eres tú, que tanto sabes y tanto hablas?

CRISPÍN. Soy... lo que fuiste. Y quien llegará a ser lo que eres..., como tú llegaste. No con tanta violencia como tú, porque los tiempos son otros y ya sólo asesinan los locos y los enamorados y cuatro pobretes que aún asaltan a mano armada al transeúnte por calles oscuras o caminos solitarios. ¡Carne de horca, despreciable!

POLICHINELA. ¿Y qué quieres de mí? Dinero, ¿no es eso? Ya nos veremos más despacio. No es este el lugar...

CRISPÍN. No tiembles por tu dinero. Sólo deseo ser tu amigo, tu aliado, como en aquellos tiempos.

POLICHINELA. ¿Qué puedo hacer por ti?

CRISPÍN. No, ahora soy yo quien va a servirte, quien quiere obligarte con una advertencia... *(Haciéndole que mire a la primera derecha.)* ¿Ves allí a tu hija cómo danza con un joven caballero y cómo sonríe ruborosa al oír sus galanterías? Ese caballero es mi amo.

POLICHINELA. ¿Tu amo? Será entonces un aventurero, un hombre de fortuna,[23] un bandido como...

CRISPÍN. ¿Como nosotros... vas a decir? No; es más peligroso que nosotros, porque, como ves, su figura es bella, y hay en su mirada un misterio de encanto y en su voz una dulzura que llega al corazón y le conmueve

---

[23] *hombre de fortuna* es 'El que de cortos principios se eleva a grandes felicidades' *(Dicc. de Aut.)*, significado este que no parece ser el que expresa Polichinela en el contexto de sus afirmaciones. Más propio sería el que corresponde a *Caballero de industria:* 'hombre que con apariencia de caballero vive a costa ajena por medio de la estafa o del engaño'.

como si contara una historia triste. ¿No es esto bastante para enamorar a cualquier mujer? No dirás que no te he advertido. Corre y separa a tu hija de ese hombre, y no la permitas que baile con él ni que vuelva a escucharle en su vida.

POLICHINELA. ¿Y dices que es tu amo y así le sirves?

CRISPÍN. ¿Lo extrañas? ¿Te olvidas ya de cuando fuiste criado? Yo aún no pienso asesinarle.

POLICHINELA. Dices bien; un amo es siempre odioso. Y en servirme a mí, ¿qué interés es el tuyo?

CRISPÍN. Llegar a buen puerto, como llegamos tantas veces remando juntos. Entonces tú me decías alguna vez: Tú que eres fuerte rema por mí... En esta galera de ahora eres tú más fuerte que yo; rema por mí, por el fiel amigo de entonces, que la vida es muy pesada galera y yo llevo remado mucho. *(Vase por la segunda derecha.)*

ESCENA VIII

El SEÑOR POLICHINELA, DOÑA SIRENA, *la* SEÑORA DE POLICHINELA, RISELA *y* LAURA, *que salen por la primera derecha.*

LAURA. Sólo doña Sirena sabe ofrecer fiestas semejantes.

RISELA. Y la de esta noche excedió a todas.

SIRENA. La presencia de tan singular caballero fue un nuevo atractivo.

POLICHINELA. ¿Y Silvia? ¿Dónde quedó Silvia? ¿Cómo dejaste a nuestra hija?

SIRENA. Callad, señor Polichinela, que vuestra hija se halla en excelente compañía, y en mi casa siempre estará segura.

RISELA. No hubo atenciones más que para ella.

LAURA. Para ella es todo el agrado.

RISELA. Y todos los suspiros.

POLICHINELA. ¿De quién? ¿De ese caballero misterioso? Pues no me contenta. Y ahora mismo...

SIRENA. ¡Pero señor Polichinela!

POLICHINELA. ¡Dejadme, dejadme! Yo sé lo que me hago. *(Vase por la primera derecha.)*

SIRENA. ¿Qué le ocurre? ¿Qué destemplanza es ésta?

SEÑORA DE POLICHINELA. ¿Veis qué hombre? ¡Capaz será de una grosería con el caballero! ¡Que ha de casar a su hija con algún mercader u hombre de baja estofa! ¡Que ha de hacerla desgraciada para toda la vida!

SIRENA. ¡Eso no!..., que sois su madre, y algo ha de valer vuestra autoridad...

SEÑORA DE POLICHINELA. ¡Ved! Sin duda dijo alguna impertinencia, y el caballero ya deja la mano de Silvia, y se retira cabizbajo.

LAURA. Y el señor Polichinela parece reprender a vuestra hija...

SIRENA. ¡Vamos, vamos! Que no puede consentirse tanta tiranía.

RISELA. Ahora vemos, señora Polichinela, que con todas vuestras riquezas no sois menos desgraciada.

SEÑORA DE POLICHINELA. No lo sabéis, que algunas veces llegó hasta golpearme.

LAURA. ¿Qué decís? ¿Y fuisteis mujer para consentirlo?

SEÑORA DE POLICHINELA. Luego cree componerlo con traerme algún regalo.

SIRENA. ¡Menos mal! Que hay maridos que no lo componen con nada. *(Vanse todos por la primera derecha.)*

ESCENA IX

LEANDRO y CRISPÍN, *que salen por la segunda derecha.*

CRISPÍN. ¿Qué tristeza, qué abatimiento es ése? ¡Con mayor alegría pensé hallarte!

LEANDRO. Hasta ahora no me vi perdido; hasta

ahora no me importó menos perderme. Huyamos, Crispín; huyamos de esta ciudad antes de que nadie pueda descubrirnos y vengan a saber lo que somos.

CRISPÍN. Si huyéramos, es cuando todos lo sabrían y cuando muchos corrieran hasta detenernos y hacernos volver a nuestro pesar, que no parece bien ausentarnos con tanta descortesía, sin despedirnos de gente tan atenta.

LEANDRO. No te burles, Crispín, que estoy desesperado.

CRISPÍN. ¡Así eres! Cuando nuestras esperanzas llevan mejor camino.

LEANDRO. ¿Qué puedo esperar? Quisiste que fingiera un amor, y mal sabré fingirlo.

CRISPÍN. ¿Por qué?

LEANDRO. Porque amo, amo con toda verdad y con toda mi alma.

CRISPÍN. ¿A Silvia? ¿Y de eso te lamentas?

LEANDRO. ¡Nunca pensé que pudiera amarse de este modo! ¡Nunca pensé que yo pudiera amar! En mi vida errante por todos los caminos, no fui siquiera el que siempre pasa, sino el que siempre huye, enemiga la tierra, enemigos los hombres, enemiga la luz del sol. La fruta del camino, hurtada, no ofrecida, dejó acaso en mis labios algún sabor de amores, y alguna vez, después de muchos días azarosos, en el descanso de una noche, la serenidad del cielo me hizo soñar con algo que fuera en mi vida como aquel cielo de la noche que traía a mi alma el reposo de su serenidad. Y así esta noche, en el encanto de la fiesta... me pareció que era un descanso en mi vida... y soñaba... ¡He soñado! Pero mañana será otra vez la huida azarosa, será la Justicia que nos persigue... y no quiero que me halle aquí, donde está ella, donde ella pueda avergonzarse de haberme visto.

CRISPÍN. Yo creí ver que eras acogido con agrado... Y no fui yo solo en advertirlo. Doña Sirena y nuestros buenos amigos el Capitán y el poeta le hicieron de ti los mayores elogios. A su excelente madre, la señora Polichinela, que sólo sueña emparentar con un noble, le pareciste el yerno de sus ilusiones. En cuanto al señor Polichinela...

LEANDRO. Sospecha de nosotros..., nos conoce...

CRISPÍN. Sí; al señor Polichinela no es fácil engañarle como a un hombre vulgar. A un zorro viejo como él hay que engañarle con lealtad. Por eso me pareció el mejor medio prevenirle de todo.

LEANDRO. ¿Cómo?

CRISPÍN. Sí; él me conoce de antiguo... Al decirle que tú eres mi amo supuso, con razón, que el amo sería digno del criado. Y yo, por corresponder a su confianza, le advertí que de ningún modo consintiera que hablaras con su hija.

LEANDRO. ¿Eso hiciste? ¿Y qué puedo esperar?

CRISPÍN. ¡Necio eres! Que el señor Polichinela ponga todo su empeño en que no vuelvas a ver a su hija.

LEANDRO. ¡No lo entiendo!

CRISPÍN. Y que de este modo sea nuestro mejor aliado, porque bastará que él se oponga, para que su mujer le lleve la contraria y su hija se enamore de ti más locamente. Tú no sabes lo que es una joven, hija de un padre rico, criada en el mayor regalo, cuando ve por primera vez en su vida que algo se opone a su voluntad. Estoy seguro de que esta misma noche, antes de terminar la fiesta, consigue burlar la vigilancia de su padre para hablar todavía contigo.

LEANDRO. ¿Pero no ves que nada me importa del señor Polichinela ni del mundo entero? Que es a ella, sólo a ella, a quien yo no quiero parecer indigno y despreciable..., a quien yo no quiero mentir.

CRISPÍN. ¡Bah! ¡Deja locuras! No es posible retroceder. Piensa en la suerte que nos espera si vacilamos en seguir adelante. ¿Que te has enamorado? Ese amor verdadero nos servirá mejor que si fuera fingido. Tal vez de otro modo hubieras querido ir demasiado de prisa; y si la osadía y la insolencia convienen para todo, sólo en amor sienta bien a los hombres algo de timidez. La timidez del hombre hace ser más atrevidas a las mujeres. Y si lo dudas, aquí tienes a la inocente Silvia, que llega con el mayor sigilo y sólo espera para acercarse a ti que yo me retire o me esconda.

LEANDRO.   ¿Silvia dices?

CRISPÍN.   ¡Chito![24] ¡Que pudiera espantarse! Y cuando esté a tu lado, mucha discreción..., pocas palabras, pocas... Adora, contempla, admira, y deja que hable por ti el encanto de esta noche azul, propicia a los amores, y esa música que apaga sus sones entre la arboleda y llega como triste de la alegría de la fiesta.

LEANDRO.   No te burles, Crispín; no te burles de este amor que será mi muerte.

CRISPÍN.   ¿Por qué he de burlarme? Yo sé bien que no conviene siempre rastrear. Alguna vez hay que volar por el cielo para mejor dominar la tierra. Vuela tú ahora; yo sigo arrastrándome. ¡El mundo será nuestro! *(Vase por la segunda izquierda.)*

ESCENA ÚLTIMA

LEANDRO y SILVIA, *que sale por la primera derecha. Al final,* CRISPÍN.

LEANDRO.   ¡Silvia!

SILVIA.   ¿Sois vos? Perdonad; no creí hallaros aquí.

LEANDRO.   Huí de la fiesta. Su alegría me entristece.

SILVIA. ¿También a vos?

LEANDRO.   ¿También decís? ¡También os entristece la alegría!

SILVIA.   Mi padre se ha enojado conmigo. ¡Nunca me habló de ese modo! Y con vos también estuvo desatento. ¿Le perdonáis?

LEANDRO.   Sí; lo perdono todo. Pero no le enojéis por mi causa. Volved a la fiesta, que han de buscaros; y si os hallaran aquí a mi lado...

SILVIA.   Tenéis razón. Pero volved vos también. ¿Por qué habéis de estar triste?

---

[24] *chito:* 'voz onomatopéyica para imponer silencio'.

LEANDRO. No; yo saldré sin que nadie lo advierta... Debo ir muy lejos.

SILVIA. ¿Qué decís? ¿No os trajeron asuntos de importancia a esta ciudad? ¿No debíais permanecer aquí mucho tiempo?

LEANDRO. ¡No, no! ¡Ni un día más! ¡Ni un día más!

SILVIA. Entonces... ¿Me habéis mentido?

LEANDRO. ¡Mentir! No... No digáis que he mentido... No; ésta es la única verdad de mi vida... ¡Este sueño que no debe tener despertar! *(Se oye a lo lejos la música de una canción hasta que cae el telón.)*

SILVIA. Es Arlequín que canta... ¿Qué os sucede? ¿Lloráis? ¿Es la música la que os hace llorar? ¿Por qué no decirme vuestra tristeza?

LEANDRO. ¿Mi tristeza? Ya la dice esa canción. Escuchadla.

SILVIA. Desde aquí sólo la música se percibe; las palabras se pierden. ¿No la sabéis? Es una canción al silencio de la noche, y se llama *El reino de las almas*. ¿No la sabéis?

LEANDRO. Decidla.

SILVIA. La noche amorosa, sobre los amantes
tiende de su cielo el dosel nupcial.
La noche ha prendido sus claros diamantes
en el terciopelo de un cielo estival.
El jardín en sombra no tiene colores,
y es en el misterio de su oscuridad
susurro el follaje, aroma las flores
y amor... un deseo dulce de llorar.
La voz que suspira, y la voz que canta
y la voz que dice palabras de amor,
impiedad parecen en la noche santa
como una blasfemia entre una oración.
¡Alma del silencio, que yo reverencio,
tiene tu silencio la inefable voz
de los que murieron amando en silencio,
de los que callaron muriendo de amor,
de los que en la vida, por amarnos mucho,
tal vez no supieron su amor expresar!

¿No es la voz acaso que en la noche escucho
y cuando amor dice, dice eternidad?
¡Madre de mi alma! ¿No es luz de tus ojos
                        la luz de esa estrella
que como una lágrima de amor infinito
                        en la noche tiembla?
¡Dile a la que hoy amo que yo no amé nunca
                más que a ti en la tierra,
y desde que has muerto sólo me ha besado
                la luz de esa estrella!
    LEANDRO.   ¡Madre de mi alma! Yo no he amado
                                                [nunca
                más que a ti en la tierra,
y desde que has muerto sólo me ha besado
                la luz de esa estrella.
(Quedan en silencio, abrazados y mirándose.)
CRISPÍN. *(Que aparece por la segunda izquierda.*
Aparte.)
    ¡Noche, poesía, locuras de amante!
¡Todo ha de servirnos en esta ocasión!
¡El triunfo es seguro! ¡Valor y adelante!
¿Quién podrá vencernos si es nuestro el amor?[25]

(SILVIA y LEANDRO, abrazados, se dirigen muy despa-
cio a la primera derecha. CRISPÍN los sigue sin ser visto
por ellos. El telón va bajando muy despacio.)

FIN

DEL ACTO PRIMERO

---

[25] El sentido de este verso final del acto quizá esté anticipado
en unas palabras de *El sí de las niñas,* de Moratín, dichas por
uno de sus personajes, don Carlos: "A un amante favorecido,
¿quién puede oponérsele?" (L. F. de Moratín: *El sí de las*
niñas. Ed. de José Montero Padilla. Madrid, Cátedra, 1994
[20.ª ed.], p. 111).

ACTO SEGUNDO

CUADRO TERCERO

S A L A *en casa de Leandro.*

ESCENA PRIMERA

CRISPÍN, *el* CAPITÁN, ARLEQUÍN. *Salen por la segunda derecha, o sea por el pasillo.*

CRISPÍN. Entrad, caballeros, y sentaos con toda comodidad. Diré que os sirvan algo... ¡Hola! ¡Eh! ¡Hola!

CAPITÁN. De ningún modo. No aceptamos nada.

ARLEQUÍN. Sólo venimos a ofrecernos a tu señor, después de lo que hemos sabido.

CAPITÁN. ¡Increíble traición, que no quedará sin castigo! ¡Yo te aseguro que si el señor Polichinela se pone al alcance de mi mano...!

ARLEQUÍN. ¡Ventaja de los poetas! Yo siempre le tendré al alcance de mis versos... ¡Oh! La tremenda sátira que pienso dedicarle... ¡Viejo dañino, viejo malvado!

CAPITÁN. ¿Y dices que tu amo no fue siquiera herido?

CRISPÍN. Pero pudo ser muerto. ¡Figuraos! ¡Una docena de espadachines asaltándole de improviso! Gracias a su valor, a su destreza, a mis voces...

119

ARLEQUÍN.   ¿Y ello sucedió anoche, cuando tu señor hablaba con Silvia por la tapia de su jardín?

CRISPÍN.   Ya mi señor había tenido aviso...; pero ya le conocéis: no es hombre para intimidarse por nada.

CAPITÁN.   Pero debió advertirnos...

ARLEQUÍN.   Debió advertir al señor Capitán. Él le hubiera acompañado gustoso.

CRISPÍN.   Ya conocéis a mi señor. Él solo se basta.

CAPITÁN.   ¿Y dices que por fin conseguiste atrapar por el cuello a uno de los malandrines, que confesó que todo estaba preparado por el señor Polichinela para deshacerse de tu amo?

CRISPÍN.   ¿Y quién sino él podía tener interés en ello? Su hija ama a mi señor; él trata de casarla a su gusto; mi señor estorba sus planes, y el señor Polichinela supo toda su vida cómo suprimir estorbos. ¿No enviudó dos veces en poco tiempo? ¿No heredó en menos a todos sus parientes, viejos y jóvenes? Todos lo saben, nadie dirá que le²⁶ calumnio... ¡Ah! La riqueza del señor Polichinela es un insulto a la humanidad y a la justicia. Sólo entre gente sin honor puede triunfar impune un hombre como el señor Polichinela.

ARLEQUÍN.   Dices bien. Y yo en mi sátira he de decir todo eso... Claro que sin nombrarle, porque la poesía no debe permitirse tanta licencia.

CRISPÍN.   ¡Bastante le importará a él de vuestra sátira!

CAPITÁN.   Dejadme, dejadme a mí, que como él se ponga al alcance de mi mano... Pero bien sé que él no vendrá a buscarme.

CRISPÍN.   Ni mi señor consentiría que se ofendiera al señor Polichinela. A pesar de todo, es el padre de Silvia. Lo que importa es que todos sepan en la ciudad cómo mi señor estuvo a punto de ser asesinado; cómo no puede consentirse que ese viejo zorro contraríe la voluntad y el corazón de su hija.

---

²⁶ Obsérvese el *leísmo,* tan frecuente y admitido ya por la Real Academia Española.

ARLEQUÍN. No puede consentirse; el amor está sobre todo.

CRISPÍN. Y si mi amo fuera algún ruin sujeto... Pero, decidme: ¿no es el señor Polichinela el que debía enorgullecerse de que mi señor se haya dignado enamorarse de su hija y aceptarle por suegro? ¡Mi señor, que a tantas doncellas de linaje excelso ha despreciado, y por quien más de cuatro princesas hicieron cuatro mil locuras!... Pero ¿quién llega? *(Mirando hacia la segunda derecha.)* ¡Ah, Colombina! ¡Adelante, graciosa Colombina, no hayas temor! *(Sale Colombina.)* Todos somos amigos, y nuestra mutua amistad te defiende de nuestra unánime admiración.

ESCENA II

DICHOS y COLOMBINA, *que salen por la segunda derecha, o sea el pasillo.*

COLOMBINA. Doña Sirena me envía a saber de tu señor. Apenas rayaba el día, vino Silvia a nuestra casa, y refirió a mi señora todo lo sucedido. Dice que no volverá a casa de su padre, ni saldrá de casa de mi señora más que para ser la esposa del señor Leandro.

CRISPÍN. ¿Eso dice? ¡Oh, noble joven! ¡Oh, corazón amante!

ARLEQUÍN. ¡Qué epitalamio pienso componer a sus bodas!

COLOMBINA. Silvia cree que Leandro está malherido... Desde su balcón oyó ruido de espadas, tus voces en demanda de auxilio. Después cayó sin sentido, y así la hallaron al amanecer. Decidme lo que sea del señor Leandro, pues muere de angustia hasta saberlo, y mi señora también quedó en cuidado.

CRISPÍN. Dile que mi señor pudo salvarse, porque amor le guardaba; dile que sólo de amor muere con incurable herida... Dile... *(Viendo venir a Leandro.)* ¡Ah! Pero aquí llega él mismo, que te dirá cuanto yo pudiera decirte.

ESCENA III

DICHOS y LEANDRO, *que sale por la primera derecha.*

CAPITÁN.   *(Abrazándole.)* ¡Amigo mío!

ARLEQUÍN.   *(Abrazándole.)* ¡Amigo y señor!

COLOMBINA.   ¡Ah, señor Leandro! ¡Que estáis salvo! ¡Qué alegría!

LEANDRO.   ¿Cómo supisteis?

COLOMBINA.   En toda la ciudad no se habla de otra cosa; por las calles se reúne la gente en corrillos, y todos murmuran y claman contra el señor Polichinela.

LEANDRO.   ¿Qué decís?

CAPITÁN.   ¡Y si algo volviera a intentar contra vos...!

ARLEQUÍN.   ¿Y si aún quisiera oponerse a vuestros amores?

COLOMBINA.   Todo sería inútil. Silvia está en casa de mi señora, y sólo saldrá de allí para ser vuestra esposa...

LEANDRO.   ¿Silvia en vuestra casa? Y su padre...

COLOMBINA.   El señor Polichinela hará muy bien en ocultarse.

CAPITÁN.   ¡Creyó que a tanto podría atreverse con su riqueza insolente!

ARLEQUÍN.   Pudo atreverse a todo, pero no al amor...

COLOMBINA.   ¡Pretender asesinaros tan villanamente!

CRISPÍN.   ¡Doce espadachines, doce..., yo los conté!

LEANDRO.   Yo sólo pude distinguir a tres o cuatro.

CRISPÍN.   Mi señor concluirá por deciros que no fue tanto el riesgo, por no hacer mérito de su serenidad y de su valor... ¡Pero yo lo vi! Doce eran, doce, armados hasta los dientes, decididos a todo. ¡Imposible me parece que escapara con vida!

COLOMBINA.   Corro a tranquilizar a Silvia y a mi señora.

CRISPÍN.   Escucha, Colombina. A Silvia, ¿no fuera mejor no tranquilizarla?...

COLOMBINA.   Déjalo a cargo de mi señora. Silvia

cree a estas horas que tu señor está moribundo, y aunque doña Sirena finge contenerla..., no tardará en venir aquí sin reparar en nada.

CRISPÍN.   Mucho fuera que tu señora no hubiera pensado en todo.

CAPITÁN.   Vamos también, pues ya en nada podemos aquí serviros. Lo que ahora conviene es sostener la indignación de las gentes contra el señor Polichinela.

ARLEQUÍN.   Apedrearemos su casa... Levantaremos a toda la ciudad en contra suya... Sepa que si hasta hoy nadie se atrevió contra él, hoy todos juntos nos atrevemos; sepa que hay un espíritu y una conciencia en la multitud.

COLOMBINA.   Él mismo tendrá que venir a rogaros que toméis a su hija por esposa.

CRISPÍN.   Sí, sí; corred, amigos. Ved que la vida de mi señor no está segura... El que una vez quiso asesinarle, no se detendrá por nada.

CAPITÁN.   No temáis... ¡Amigo mío!

ARLEQUÍN.   ¡Amigo y señor!

COLOMBINA.   ¡Señor Leandro!

LEANDRO.   Gracias a todos, amigos míos, amigos leales. *(Se van todos, menos* LEANDRO *y* CRISPÍN, *por la segunda derecha.)*

ESCENA IV

LEANDRO y CRISPÍN.

LEANDRO.   ¿Qué es esto, Crispín? ¿Qué pretendes? ¿Hasta dónde has de llevarme con tus enredos? ¿Piensas que lo creí? Tú pagaste a los espadachines; todo fue invención tuya. ¡Mal hubiera podido valerme contra todos si ellos no vinieran de burla!

CRISPÍN.   ¿Y serás capaz de reñirme, cuando así anticipo el logro de tus esperanzas?

LEANDRO.   No, Crispín, no. ¡Bien sabes que no! Amo a Silvia y no lograré su amor con engaños, suceda lo que suceda.

CRISPÍN.   Bien sabes lo que ha de sucederte... ¡Si amar es resignarse a perder lo que se ama por sutilezas de conciencia... que Silvia misma no ha de agradecerte!...

LEANDRO.   ¿Qué dices? ¡Si ella supiera quién soy!

CRISPÍN.   Y cuando lo sepa, ya no serás el que fuiste: serás su esposo, su enamorado esposo, todo lo enamorado y lo fiel y lo noble que tú quieras y ella pueda desear... Una vez dueño de su amor... y de su dote, ¿no serás el más perfecto caballero? Tú no eres como el señor Polichinela, que con todo su dinero que tantos lujos le permite, aún no se ha permitido el lujo de ser honrado... En él es naturaleza la truhanería; pero en ti, en ti fue sólo necesidad... Y aun si no me hubieras tenido a tu lado, ya te hubieras dejado morir de hambre de puro escrupuloso. ¡Ah! ¿Crees que si yo hubiera hallado en ti otro hombre me hubiera contentado con dedicarte a enamorar?... No; te hubiera dedicado a la política, y, no el dinero del señor Polichinela, el mundo hubiera sido nuestro... Pero no eres ambicioso, te contentas con ser feliz...

LEANDRO.   ¿Pero no viste que mal podía serlo? Si hubiera mentido para ser amado y ser rico de este modo, hubiera sido porque yo no amaba, y mal podía ser feliz. Y si amo, ¿cómo puedo mentir?

CRISPÍN.   Pues no mientas. Ama, ama con todo tu corazón, inmensamente. Pero defiende tu amor sobre todo. En amor no es mentir callar lo que puede hacernos perder la estimación del ser amado.

LEANDRO.   Ésas sí que son sutilezas, Crispín.

CRISPÍN.   Que tú debiste hallar antes si tu amor fuera como dices. Amor es todo sutilezas y la mayor de todas no es engañar a los demás, sino engañarse a sí mismo.

LEANDRO.   Yo no puedo engañarme, Crispín. No soy de esos hombres que cuando venden su conciencia se creen en el caso de vender también su entendimiento.

CRISPÍN.   Por eso dije que no servías para la política. Y bien dices. Que el entendimiento es la conciencia de la verdad, y el que llega a perderla entre las mentiras de su vida, es como si se perdiera a sí propio, porque ya nunca volverá a encontrarse ni a conocerse, y él mismo vendrá a ser otra mentira.

LEANDRO.   ¿Dónde aprendiste tanto, Crispín?

CRISPÍN.   Medité algún tiempo en galeras, donde esta conciencia de mi entendimiento me acusó más de torpe que de pícaro. Con más picardía y menos torpeza, en vez de remar en ellas pude haber llegado a mandarlas. Por eso juré no volver en mi vida. Piensa de qué no seré capaz ahora que por tu causa me veo a punto de quebrantar mi juramento.

LEANDRO.   ¿Qué dices?

CRISPÍN.   Que nuestra situación es ya insostenible, que hemos apurado nuestro crédito, y las gentes ya empiezan a pedir algo efectivo. El hostelero, que nos albergó con toda esplendidez por muchos días, esperando que recibieras tus libranzas. El señor Pantalón, que fiado en el crédito del hostelero, nos proporcionó cuanto fue preciso para instalarnos con suntuosidad en esta casa... Mercaderes de todo género, que no dudaron en proveernos de todo, deslumbrados por tanta grandeza. Doña Sirena misma, que tan buenos oficios nos ha prestado[27] en tus amores... Todos han esperado lo razonable, y sería injusto pretender más de ellos, ni quejarse de tan amable gente... ¡Con letras de oro quedará grabado en mi corazón el nombre de esta insigne ciudad, que desde ahora declaro por mi madre adoptiva! A más de esto..., ¿olvidas que de otras partes habrán salido y andarán en busca nuestra? ¿Piensas que las hazañas de Mantua y de Florencia son para olvidarlas? ¿Recuerdas el famoso proceso de Bolonia?... ¡Tres mil doscientos folios sumaba cuando nos ausentamos alarmados de verle crecer tan sin tino! ¿Qué no habrá aumentado bajo la pluma de aquel gran doctor jurista que lo había tomado por su cuenta? ¡Qué de considerandos y de resultandos, de que no resultará cosa buena! ¿Y aún

---

[27] Estas palabras reiteran el carácter celestinesco del personaje de Doña Sirena. Cfr. la nota 18.

dudas? ¿Y aún me reprendes porque di la batalla que puede decidir en un día de nuestra suerte?

LEANDRO. ¡Huyamos!

CRISPÍN. ¡No! ¡Basta de huir a la desesperada! Hoy ha de fijarse nuestra fortuna... Te di el amor, dame tú la vida.

LEANDRO. ¿Pero cómo salvarnos? ¿Qué puedo yo hacer? Dime.

CRISPÍN. Nada ya. Basta con aceptar lo que los demás han de ofrecernos... Piensa que hemos creado muchos intereses y es interés de todos el salvarnos.

ESCENA V

DICHOS y DOÑA SIRENA, *que sale por la segunda derecha, o sea el pasillo.*

SIRENA. ¿Dais licencia, señor Leandro?

LEANDRO. ¡Doña Sirena! ¿Vos en mi casa?

SIRENA. Ya veis a lo que me expongo. A tantas lenguas maldicientes. ¡Yo en casa de un caballero, joven, apuesto!...

CRISPÍN. Mi señor sabría hacer callar a los maldicientes si alguno se atreviera a poner sospecha en vuestra fama.

SIRENA. ¿Tú señor? No me fío. ¡Los hombres son tan jactanciosos! Pero en nada reparo por serviros. ¿Qué me decís, señor, que anoche quisieron daros muerte? No se habla de otra cosa... ¡Y Silvia! ¡Pobre niña! ¡Cuánto os ama! ¡Quisiera saber qué hicisteis para enamorarla de ese modo!

CRISPÍN. Mi señor sabe que todo lo debe a vuestra amistad.

SIRENA. No diré yo que no me deba mucho..., que siempre hablé de él como yo no debía, sin conocerle lo bastante... A mucho me atreví por amor vuestro. Si ahora faltarais a vuestras promesas...

CRISPÍN. ¿Dudáis de mi señor? ¿No tenéis cédula firmada de su mano?

SIRENA.   ¡Buena mano y buen nombre! ¿Pensáis que todos no nos conocemos? Yo sé confiar y sé que el señor Leandro cumplirá como debe. Pero si vierais que hoy es un día aciago para mí, y por lograr hoy una mitad de lo que se me ha ofrecido perdería gustosa la otra mitad...

CRISPÍN.   ¿Hoy decís?

SIRENA.   ¡Día de tribulaciones! Para que nada falte, veinte años hace hoy también que perdí a mi segundo marido, que fue el primero, el único amor de mi vida.

CRISPÍN.   Dicho sea en elogio del primero.

SIRENA.   El primero me fue impuesto por mi padre. Yo no le amaba, y a pesar de ello supe serle fiel.

CRISPÍN.   ¿Qué no sabréis vos, doña Sirena?

SIRENA.   Pero dejemos los recuerdos, que todo lo entristecen. Hablemos de esperanzas. ¿Sabéis que Silvia quiso venir conmigo?

LEANDRO.   ¿Aquí, a esta casa?

SIRENA.   ¿Qué os parece? ¿Qué diría el señor Polichinela? ¡Con toda la ciudad soliviantada contra él, fuerza le sería casaros!

LEANDRO.   No, no; impedidla²⁸ que venga.

CRISPÍN.   ¡Chis! Comprenderéis que mi señor no dice lo que siente.

SIRENA.   Lo comprendo... ¿Qué no daría él por ver a Silvia a su lado, para no separarse nunca de ella?

CRISPÍN.   ¿Qué daría? ¡No lo sabéis!

SIRENA.   Por eso lo pregunto.

CRISPÍN.   ¡Ah, doña Sirena!... Si mi señor es hoy esposo de Silvia, hoy mismo cumplirá lo que os prometió.

SIRENA.   ¿Y si no lo fuera?

CRISPÍN.   Entonces... lo habréis perdido todo. Ved lo que os conviene.

LEANDRO.   ¡Calla, Crispín! ¡Basta! No puedo consentir que mi amor se trate como mercancía. Salid, doña Sirena; decid a Silvia que vuelva a casa de su padre, que

---

²⁸ Obsérvese de nuevo el laísmo, poco frecuente en el uso literario a comienzos del siglo, pero progresivamente extendido en la actualidad.

no venga aquí en modo alguno, que me olvide para siempre, que yo he de huir donde no vuelva a saber de mi nombre... ¡Mi nombre! ¿Tengo yo nombre acaso?

CRISPÍN. ¿No callarás?

SIRENA. ¿Qué le dio? ¡Qué locura es ésta! ¡Volved en vos! ¡Renunciar de ese modo a tan gran ventura!... Y no se trata sólo de vos. Pensad que hay quien todo lo fió en vuestra suerte, y no puede burlarse así de una dama de calidad que a tanto se expuso por serviros. Vos no haréis tal locura; vos os casaréis con Silvia, o habrá quien sepa pediros cuenta de vuestros engaños, que no estoy tan sola en el mundo como pudisteis creer, señor Leandro.

CRISPÍN. Doña Sirena dice muy bien. Pero creed que mi señor sólo habla así ofendido por vuestra desconfianza.

SIRENA. No es desconfianza en él... Es, todo he de decirlo..., es que el señor Polichinela no es hombre para dejarse burlar..., y ante el clamor que habéis levantado contra él con vuestra estratagema de anoche...

CRISPÍN. ¿Estratagema decís?

SIRENA. ¡Bah! Todos nos conocemos. Sabed que uno de los espadachines es pariente mío, y los otros me son también muy allegados... Pues bien: el señor Polichinela no se ha descuidado, y ya se murmura por la ciudad que ha dado aviso a la Justicia de quién sois y cómo puede perderos; dícese también que hoy llegó de Bolonia un proceso...

CRISPÍN. ¡Y un endiablado doctor con él! Tres mil novecientos folios...

SIRENA. Todo esto se dice, se asegura. Ved si importa no perder tiempo.

CRISPÍN. ¿Y quién lo malgasta y lo pierde sino vos? Volved a vuestra casa... Decid a Silvia...

SIRENA. Silvia está aquí. Vino junto con Colombina, como otra doncella de mi acompañamiento. En vuestra antecámara espera.Le dije que estabais muy malherido...

LEANDRO. ¡Oh, Silvia mía!

SIRENA. Sólo pensó en que podíais morir...; nada

pensó en lo que arriesgaba con venir a veros. ¿Soy vuestra amiga?

CRISPÍN.   Sois adorable. Pronto. Acostaos aquí, haceos del doliente y del desmayado. Ved que si es preciso yo sabré hacer que lo estéis de veras. *(Amenazándole y haciéndole sentar en un sillón.)*

LEANDRO.   Sí, soy vuestro, lo sé, lo veo... Pero Silvia no lo será. Sí, quiero verla; decidle que llegue, que he de salvarla a pesar vuestro, a pesar de todos, a pesar de ella misma.

CRISPÍN.   Comprenderéis que mi señor no siente lo que dice.

SIRENA.   No lo creo tan necio ni tan loco. Ven conmigo. *(Se va con* CRISPÍN *por la segunda derecha, o sea el pasillo.)*

ESCENA VI

LEANDRO y SILVIA, *que sale por la segunda derecha.*

LEANDRO.   ¡Silvia! ¡Silvia mía!

SILVIA.   ¿No estás herido?

LEANDRO.   No; ya lo ves... Fue un engaño, un engaño más para traerte aquí. Pero no temas; pronto vendrá tu padre, pronto saldrás con él sin que nada tengas tú que reprocharme... ¡Oh! Sólo el haber empañado la serenidad de tu alma con una ilusión de amor, que para ti sólo será el recuerdo de un mal sueño.

SILVIA.   ¿Qué dices, Leandro? ¿Tu amor no era verdad?

LEANDRO.   ¡Mi amor, sí...; por eso no ha de engañarte! Sal de aquí pronto, antes de que nadie, fuera de los que aquí te trajeron, pueda saber que viniste.

SILVIA.   ¿Qué temes? ¿No estoy segura en tu casa? Yo no dudé en venir a ella... ¿Qué peligros pueden amenazarme a tu lado?

LEANDRO.   Ninguno; dices bien. Mi amor te defiende de tu misma inocencia.

SILVIA.   No he de volver a casa de mi padre después de su acción horrible.

LEANDRO.   No, Silvia, no culpes a tu padre. No fue él; fue otro engaño más, otra mentira... Huye de mí, olvida a este miserable aventurero, sin nombre, perseguido por la Justicia.

SILVIA.   ¡No, no es cierto! Es que la conducta de mi padre me hizo indigna de vuestro cariño. Eso es. Lo comprendo... ¡Pobre de mí!

LEANDRO.   ¡Silvia! ¡Silvia mía! ¡Qué crueles tus dulces palabras! ¡Qué cruel esa noble confianza de tu corazón, ignorante del mal y de la vida!

ESCENA VII

DICHOS y CRISPÍN, *que sale corriendo por la segunda derecha.*

CRISPÍN.   ¡Señor! ¡Señor! El señor Polichinela llega.

SILVIA.   ¡Mi padre!

LEANDRO.   ¡Nada importa! Yo os entregaré a él por mi mano.

CRISPÍN.   Ved que no viene solo, sino con mucha gente y justicia con él.

LEANDRO.   ¡Ah! ¡Si te hallan aquí! ¡En mi poder! Sin duda tú les diste aviso... Pero no lograréis vuestro propósito.

CRISPÍN.   ¿Yo? No por cierto... Que esto va de veras, y ya temo que nadie pueda salvarnos.

LEANDRO.   ¡A nosotros, no; ni he de intentarlo!... Pero a ella, sí. Conviene ocultarte; queda aquí.

SILVIA.   ¿Y tú?

LEANDRO. Nada temas. ¡Pronto, que llegan! *(Esconde a* SILVIA *en la habitación del foro, diciéndole a* CRISPÍN*)* Tú verás lo que trae a esa gente. Sólo cuida de que nadie entre ahí hasta mi regreso... No hay otra huida. *(Se dirige a la ventana.)*

CRISPÍN.   *(Deteniéndole.)* ¡Señor! ¡Tente! ¡No te mates así!

LEANDRO.   No pretendo matarme ni pretendo escapar; pretendo salvarla. *(Trepa hacia arriba por la ventana y desaparece.)*

CRISPÍN.   ¡Señor, señor! ¡Menos mal! Creí que intentaba arrojarse al suelo, pero trepó hacia arriba... Esperemos todavía... Aún quiere volar... Es su región, las alturas. Yo a la mía: la tierra... Ahora más que nunca conviene afirmarse en ella. *(Se sienta en un sillón con mucha calma.)*

ESCENA VIII

CRISPÍN, *el* SEÑOR POLICHINELA, *el* HOSTELERO, *el* SEÑOR PANTALÓN, *el* CAPITÁN, ARLEQUÍN, *el* DOCTOR, *el* SECRETARIO *y dos* ALGUACILES *con enormes protocolos* [29] *de curia. Todos salen por la segunda derecha, o sea el pasillo.*

POLICHINELA.   *(Dentro, a gente que se supone fuera.)* ¡Guardad bien las puertas, que nadie salga, hombre ni mujer, ni perro ni gato!

HOSTELERO.   ¿Dónde están, dónde están esos bandoleros, esos asesinos?

PANTALÓN.   ¡Justicia! ¡Justicia! ¡Mi dinero! ¡Mi dinero! *(Van saliendo todos por el orden que se indica. El* DOCTOR *y el* SECRETARIO *se dirigen a la mesa y se disponen a escribir. Los dos alguaciles, de pie, teniendo en las manos los enormes protocolos del proceso.)*

CAPITÁN.   Pero ¿es posible lo que vemos, Crispín?

ARLEQUÍN.   ¿Es posible lo que sucede?

PANTALÓN.   ¡Justicia! ¡Justicia! ¡Mi dinero! ¡Mi dinero!

HOSTELERO.   ¡Que los prendan.., que se aseguren de ellos!

---

[29] *protocolos:* 'ordenada serie de escrituras matrices y otros documentos que un notario o escribano autoriza y custodia con ciertas formalidades'.

PANTALÓN. ¡No escaparán..., no escaparán!

CRISPÍN. Pero ¿qué es esto? ¿Cómo se atropella así la mansión de un noble caballero? Agradezcan la ausencia de mi señor.

PANTALÓN. ¡Calla, calla, que tú eres su cómplice y has de pagar con él!

HOSTELERO. ¿Cómo cómplice? Tan delincuente como su pretendido señor..., que él fue quien me engañó.

CAPITÁN. ¿Qué significa esto, Crispín?

ARLEQUÍN. ¿Tiene razón esta gente?

POLICHINELA. ¿Qué dices ahora, Crispín? ¿Pensaste que habían de valerte tus enredos conmigo? ¿Conque yo pretendí asesinar a tu señor? ¿Conque yo soy un viejo avaro que sacrifica a su hija? ¿Conque toda la ciudad se levanta contra mí llenándome de insultos? Ahora veremos.

PANTALÓN. Dejadle, señor Polichinela, que éste es asunto nuestro, que al fin vos no habéis perdido nada. Pero yo... ¡todo mi caudal, que lo presté sin garantía! ¡Perdido me veré para toda la vida! ¿Qué será de mí?

HOSTELERO. ¿Y yo, decidme, que gasté lo que no tenía y aun hube de empeñarme por servirle como creí correspondía a su calidad? ¡Esto es mi destrucción, mi ruina?

CAPITÁN. ¡Y nosotros también fuimos ruinmente engañados! ¿Qué se dirá de mí, que puse mi espada y mi valor al servicio de un aventurero?

ARLEQUÍN. ¿Y de mí, que le dediqué soneto tras soneto como al más noble señor?

POLICHINELA. ¡Ja, ja, ja!

PANTALÓN. ¡Sí, reíd, reíd!... Como nada perdisteis...

HOSTELERO. Como nada os robaron...

PANTALÓN. ¡Pronto, pronto! ¿Dónde está el otro pícaro?

HOSTELERO. Registradlo todo hasta dar con él.

CRISPÍN. Poco a poco. Si dais un solo paso... *(Amenazando con la espada.)*

PANTALÓN. ¿Amenazas todavía? ¿Y esto ha de sufrirse? ¡Justicia, justicia!

HOSTELERO.   ¡Eso es, justicia!

DOCTOR.   Señores... Si no me atendéis, nada conseguiremos. Nadie puede tomarse justicia por su mano, que la justicia no es atropello ni venganza, y *summum jus, summa injuria*. La Justicia es todo sabiduría, y la sabiduría es todo orden, y el orden es todo razón, y la razón es todo procedimiento, y el procedimiento es todo lógica. *Barbara, Celare, Dario, Ferioque, Baralipton,*[30] depositad en mí vuestros agravios y querellas, que todo ha de unirse a este proceso que conmigo traigo.

CRISPÍN.   ¡Horror! ¡Aún ha crecido!

DOCTOR.   Constan aquí otros muchos delitos de estos hombres, y a ellos han de sumarse estos de que ahora les acusáis. Y yo seré parte en todos ellos; sólo así obtendréis la debida satisfacción y justicia. Escribid, señor Secretario, y vayan deponiendo los querellantes.

PANTALÓN.   Dejadnos de embrollos, que bien conocemos vuestra justicia.

HOSTELERO.   No se escriba nada, que todo será poner lo blanco negro... Y quedaremos nosotros sin nuestro dinero y ellos sin castigar.

PANTALÓN.   Eso, eso... ¡Mi dinero, mi dinero! ¡Y después justicia!

DOCTOR.   ¡Gente indocta, gente ignorante, gente incivil! ¿Qué idea tenéis de la Justicia? No basta que os digáis perjudicados si no pareciere bien claramente que hubo intención de causaros perjuicio, esto es, fraude o dolo,[31] que no es lo mismo... aunque la vulgar acepción los confunda. Pero sabed... que en el un caso...

PANTALÓN.   ¡Basta! ¡Basta! Que acabaréis por decir que fuimos nosotros los culpables.

DOCTOR.   ¡Y como pudiera ser si os obstináis en negar la verdad de los hechos!...

---

[30] Términos latinos que nombran las figuras del silogismo.

[31] Término que adquiere preciso significado en la legislación y lenguaje jurídicos y, en este texto, el de 'voluntad maliciosa de engañar a otro o de incumplir la obligación contraída', o, con mayor amplitud 'conducta antijurídica consciente y querida'.

HOSTELERO. ¡Ésta es buena! Que fuimos robados. ¿Quiere más verdad ni más claro delito?

DOCTOR. Sabed que robo no es lo mismo que hurto; y mucho menos que fraude o dolo, como dije primero. Desde las Doce Tablas[32] hasta Justiniano,[33] Triboniano,[34] Emiliano[35] y Triberiano...[36]

PANTALÓN. Todo fue quedarnos sin nuestro dinero... Y de ahí no habrá quien nos saque.

POLICHINELA. El señor Doctor habla muy en razón. Confiad en él, y que todo conste en proceso.

DOCTOR. Escribid, escribid luego, señor Secretario.

CRISPÍN. ¿Quieren oírme?

PANTALÓN. ¡No, no! Calle el pícaro..., calle el desvergonzado.

HOSTELERO. Ya hablaréis donde os pesará.

DOCTOR. Ya hablará cuando le corresponda, que a todos ha de oírse en justicia... Escribid, escribid. En la ciudad de..., a tantos... No sería malo proceder primeramente al inventario de cuanto hay en la casa.

CRISPÍN. No dará tregua a la pluma...

DOCTOR. Y proceder al depósito de fianza por parte de los querellantes, por que no pueda haber sospecha en su buena fe. Bastará con dos mil escudos de presente y caución[37] de todos sus bienes...

---

[32] Las Doce Tablas, hechas en bronce, en el siglo v a. de J. C., contenían las más antiguas disposiciones legislativas del Derecho romano.

[33] Justiniano: emperador de Oriente (482-565), recordado en el texto por su importantísima obra jurídica, denominada *Corpus iuris civilis,* llevada a cabo en la primera mitad del siglo vi d. de J. C.

[34] Triboniano: jurisconsulto romano (475-547), que trabajó, por encargo del emperador Justiniano, en la redacción de su célebre código *Corpus iuris civilis.*

[35] Emiliano: no he encontrado información sobre este nombre en el ámbito jurídico. Acaso sea invención de Benavente.

[36] Triberiano: véase lo dicho en la nota precedente.

[37] *caución:* 'pena que obliga al reo a presentar un fiador abonado que se haga responsable de que no se ejecutará el mal

PANTALÓN.   ¿Qué decís? ¡Nosotros dos mil escudos!

DOCTOR.   Ocho debieran ser; pero basta que seáis personas de algún crédito para que todo se tenga en cuenta, que nunca fui desconsiderado...

HOSTELERO.   ¡Alto, y no se escriba más, que no hemos de pasar por eso!

DOCTOR.   ¿Cómo? ¿Así se atropella a la Justicia? Ábrase proceso separado por violencia y mano airada contra un ministro de Justicia en funciones de su ministerio.

PANTALÓN.   ¡Este hombre ha de perdernos!

HOSTELERO.   ¡Está loco!

DOCTOR.   ¿Hombre y loco, decís? Hablen con respeto. Escribid, escribid que hubo también ofensas de palabra...

CRISPÍN.   Bien os está por no escucharme.

PANTALÓN.   Habla, habla, que todo será mejor, según vemos.

CRISPÍN.   Pues atajen a ese hombre, que levantará un monte con sus papelotes.

PANTALÓN.   ¡Basta, basta ya, decimos!

HOSTELERO.   Deje la pluma...

DOCTOR.   Nadie sea osado a poner mano en nada.

CRISPÍN.   Señor Capitán, sírvanos vuestra espada, que es también atributo de justicia.

CAPITÁN.   (*Va a la mesa y da un fuerte golpe con la espada en los papeles que está escribiendo el* DOCTOR.) Háganos la merced de no escribir más.

DOCTOR.   Ved lo que es pedir las cosas en razón. Suspended las actuaciones, que hay cuestión previa a dilucidar... Hablen las partes entre sí... Bueno fuera, no obstante, proceder en el ínterin[38] al inventario...

PANTALÓN.   ¡No, no!

DOCTOR.   Es formalidad que no puede evitarse.

CRISPÍN.   Ya escribiréis cuando sea preciso. Dejadme ahora hablar aparte con estos honrados señores.

que se trata de precaver, obligándose a entregar, si se causare, la cantidad fijada en la sentencia'; en síntesis, 'fianza'.

[38] *ínterin:* 'entretanto'.

DOCTOR.   Si os conviene sacar testimonio de cuanto aquí les digáis...

CRISPÍN.   Por ningún modo. No se escriba una letra o no hablaré palabra.

CAPITÁN.   Deje hablar al mozo.

CRISPÍN.   ¿Y qué he de deciros? ¿De qué os quejáis? ¿De haber perdido vuestro dinero? ¿Qué pretendéis? ¿Recobrarlo?

PANTALÓN.   ¡Eso, eso! ¡Mi dinero!

HOSTELERO.   ¡Nuestro dinero!

CRISPÍN.   Pues escuchadme aquí... ¿De dónde habéis de cobrarlo si así quitáis crédito a mi señor y así hacéis imposible su boda con la hija del señor Polichinela? ¡Voto a..., que siempre pedí tratar con pícaros mejor que con necios! Ved lo que hicisteis y cómo se compondrá ahora con la Justicia de por medio. ¿Qué lograréis ahora si dan con nosotros en galeras o en sitio peor? ¿Será buena moneda para cobraros las túrdigas[39] de nuestro pellejo? ¿Seréis más ricos, más nobles, o más grandes, cuando nosotros estemos perdidos? En cambio, si no nos hubierais estorbado a tan mal tiempo, hoy hoy mismo tendríais vuestro dinero, con todos sus intereses..., que ellos solos bastarían a llevaros a la horca, si la Justicia no estuviera en esas manos y en esas plumas... Ahora haced lo que os plazca, que ya os dije lo que os convenía...

DOCTOR.   Quedaron suspensos...

CAPITÁN.   Yo aún no puedo creer que ellos sean tales bellacos.

POLICHINELA.   Este Crispín... Capaz será de convencerlos...

PANTALÓN.   *(Al HOSTELERO.)* ¿Qué decís a esto? Bien mirado...

HOSTELERO.   ¿Qué decís vos?

PANTALÓN.   Dices que hoy mismo se hubiera casado tu amo con la hija del señor Polichinela. ¿Y si él no da su consentimiento?

---

[39] *túrdigas:* 'tiras'.

CRISPÍN. De nada ha de servirle. Que su hija huyó con mi señor..., y lo sabrá todo el mundo... Y a él más que a nadie importa que nadie sepa cómo su hija se perdió por un hombre sin condición, perseguido por la Justicia.

PANTALÓN. Si así fuera... ¿Qué decís vos?

HOSTELERO. No nos ablandemos. Ved que el bellacón es maestro en embustes.

PANTALÓN. Decís bien. No sé cómo pude creerlo. ¡Justicia! ¡Justicia!

CRISPÍN. ¡Ved que lo perdéis todo!

PANTALÓN. Veamos todavía... Señor Polichinela, dos palabras.

POLICHINELA. ¿Qué me queréis?

PANTALÓN. Suponed que nosotros no hubiéramos tenido razón para quejarnos. Suponed que el señor Leandro fuera, en efecto, el más noble caballero..., incapaz de una baja acción...

POLICHINELA. ¿Qué decís?

PANTALÓN. Suponed que vuestra hija le amara con locura, hasta el punto de haber huido con él de vuestra casa.

POLICHINELA. ¿Que mi hija huyó de mi casa y con ese hombre? ¿Quién lo dijo? ¿Quién fue el desvergonzado?

PANTALÓN. No os alteréis. Todo es suposición.

POLICHINELA. Pues aun así no he de tolerarlo.

PANTALÓN. Escuchad con paciencia. Suponed que todo eso hubiera sucedido. ¿No os sería forzoso casarla?

POLICHINELA. ¿Casarla? ¡Antes la mataría! Pero es locura pensarlo. Y bien veo que eso quisierais para cobraros a costa mía, que sois otros tales bribones. Pero no será, no será.

PANTALÓN. Ved lo que decís, y no se hable aquí de bribones, cuando estáis presente.

HOSTELERO. ¡Eso, eso!

POLICHINELA. ¡Bribones, bribones, combinados para robarme! Pero no será, no será.

DOCTOR. No hayáis cuidado, señor Polichinela, que aunque ellos renunciaran a perseguirle, ¿no es nada este proceso? ¿Creéis que puede borrarse nada de cuanto e él consta, que son cincuenta y dos delitos probados otros tantos que no necesitan probarse?

PANTALÓN. ¿Qué decís ahora, Crispín?

CRISPÍN. Que todos esos delitos si fueran tantos, so como estos otros... Dinero perdido que nunca se pagar si nunca le tenemos.

DOCTOR. ¡Eso no! Que yo he de cobrar lo que m corresponda de cualquier modo que sea.

CRISPÍN. Pues será de los que se quejaron, que noso tros harto haremos en pagar con nuestras personas.

DOCTOR. Los derechos de justicia son sagrados, y l primero será embargar para ellos cuanto hay en est casa.

PANTALÓN. ¿Cómo es eso? Esto será para cobrar nos en algo.

HOSTELERO. Claro es; y de otro modo...

DOCTOR. Escribid, escribid, que si hablan todo nunca nos entenderemos.

PANTALÓN y HOSTELERO. ¡No, no!

CRISPÍN. Oídme aquí, señor Doctor. ¿Y si se o pagara de una vez y sin escribir tanto, vuestros... cóm los llamáis? ¿Estipendios?

DOCTOR. Derechos de justicia.

CRISPÍN. Como queráis. ¿Qué os parece?

DOCTOR. En ese caso...

CRISPÍN. Pues ved que mi amo puede ser hoy rico poderoso, si el señor Polichinela consiente en casarl con su hija. Pensad que la joven es hija única del seño Polichinela; pensad en que mi señor ha de ser dueño d todo; pensad...

DOCTOR. Puede, puede estudiarse.

PANTALÓN. ¿Qué os dijo?

HOSTELERO. ¿Qué resolvéis?

DOCTOR. Dejadme reflexionar. El mozo no es lerd y se ve que no ignora los procedimientos legales. Porqu si consideramos que la ofensa que recibisteis fue pura mente pecuniaria y que todo delito que puede ser repa rado en la misma forma lleva en la reparación el má justo castigo; si consideramos que así en la ley bárbara y primitiva del talión se dijo: ojo por ojo, diente por diente, mas no diente por ojo ni ojo por diente... Bien puede decirse en este caso escudo por escudo. Porque al fin, él no os quitó la vida para que podáis exigir la suya en pago. No os ofendió en vuestra persona, honor ni buena fama, para que podáis exigir otro tanto. La equidad es la suprema justicia. *Equitas justitia magna est.*[40] Y desde las Pandectas[41] hasta Triboniano con Emiliano, Triberiano...

PANTALÓN.   No digáis más. Si él nos pagara...

HOSTELERO.   Como él nos pagara...

POLICHINELA.   ¡Qué disparates son éstos, y cómo ha de pagar, ni qué tratar ahora!

CRISPÍN.   Se trata de que todos estáis interesados en salvar a mi señor, en salvarnos por interés de todos. Vosotros, por no perder vuestro dinero; el señor Doctor, por no perder toda esa suma de admirable doctrina que fuisteis depositando en esa balumba[42] de sabiduría; el señor Capitán, porque todos le vieron amigo de mi amo, y a su valor importa que no se murmure de su amistad con un aventurero; vos, señor Arlequín, porque vuestros ditirambos de poeta perderían todo su mérito al saber que tan mal los empleasteis; vos, señor Polichinela..., antiguo amigo mío, porque vuestra hija es ya ante el Cielo y ante los hombres la esposa del señor Leandro.

POLICHINELA.   ¡Mientes, mientes! ¡Insolente, desvergonzado!

CRISPÍN.   Pues procédase al inventario de cuanto hay en la casa. Escribid, escribid, y sean todos estos señores

---

[40] *equitas...:* el sentido de la frase latina figura anticipado ya en las palabras precedentes: "la equidad es la suprema justicia".

[41] *Pandectas:* recopilación de diversas obras de Derecho que llevaron a cabo varios jurisconsultos por encargo del emperador Justiniano.

[42] *balumba:* 'conjunto desordenado y excesivo de cosas'.

testigos y empiécese por este aposento. *(Descorre el tapiz de la puerta del foro y aparecen formando grupo* SILVIA, LEANDRO, DOÑA SIRENA, COLOMBINA *y la* SEÑORA DE POLICHINELA.*)*

ESCENA ÚLTIMA

DICHOS, SILVIA, LEANDRO, DOÑA SIRENA, COLOMBINA *y la* SEÑORA DE POLICHINELA, *que aparecen por el foro.*

PANTALÓN Y HOSTELERO. ¡Silvia!

CAPITÁN Y ARLEQUÍN. ¡Juntos! ¡Los dos!

POLICHINELA. ¿Conque era cierto? ¡Todos contra mí! ¡Y mi mujer y mi hija con ellos! ¡Todos conjurados para robarme! ¡Prended a ese hombre, a esas mujeres, a ese impostor, o yo mismo...!

PANTALÓN. ¿Estáis loco, señor Polichinela?

LEANDRO. *(Bajando al proscenio*[43] *en compañía de los demás.)* Vuestra hija vino aquí creyéndome malherido acompañada de doña Sirena, y yo mismo corrí al punto en busca de vuestra esposa para que también la acompañara. Silvia sabe quién soy, sabe toda mi vida de miserias, de engaños, de bajezas, y estoy seguro que de nuestro sueño de amor nada queda en su corazón... Llevadla de aquí, llevadla; yo os lo pido antes de entregarme a la Justicia.

POLICHINELA. El castigo de mi hija es cuenta mía; pero a ti... ¡Prendedle digo!

SILVIA. ¡Padre! Si no le salváis, será mi muerte. Le amo, le amo siempre, ahora más que nunca. Porque su corazón es noble y fue muy desdichado, y pudo hacerme suya con mentir, y no ha mentido.

POLICHINELA. ¡Calla, calla, loca, desvergonzada!

---

[43] *proscenio:* 'parte del escenario más inmediata al público, que viene a ser la que media entre el borde del mismo escenario y el primer orden de bastidores'. En definitiva, el avance hacia la sala del escenario, en cuyo borde se instalan la 'batería' o 'candilejas'.

Benavente y el actor Ricardo Puga, vestidos ambos para
interpretar el papel de Crispín, en *Los intereses creados*.

Texto autógrafo de Jacinto Benavente, escrito a raíz de la muerte del poeta y crítico teatral Enrique de Mesa: "Para que no le importe a uno mucho de la crítica por dura que sea, no hay más que pensar en lo poco que hemos de durar nosotros, nuestros críticos, nuestras obras y las críticas de nuestras obras. Vanidad de vanidades y todo vanidad, y... ¡pasados los siglos horas fueron!

Éstas son las enseñanzas de tu madre..., sus vanidades y fantasías. Éstas son las lecturas romancescas,[44] las músicas a la luz de la luna.

SEÑORA DE POLICHINELA.   Todo es preferible a que mi hija se case con un hombre como tú, para ser desdichada como su madre. ¿De qué me sirvió nunca la riqueza?

SIRENA.   Decís bien, señora Polichinela. ¿De qué sirven las riquezas sin amor?

COLOMBINA.   De lo mismo que el amor sin riquezas.

DOCTOR.   Señor Polichinela, nada os estará mejor que casarlos.

PANTALÓN.   Ved que esto ha de saberse en la ciudad.

HOSTELERO.   Ved que todo el mundo estará de su parte.

CAPITÁN.   Y no hemos de consentir que hagáis violencia a vuestra hija.

DOCTOR.   Y ha de constar en el proceso que fue hallada aquí, junta con él.

CRISPÍN.   Y en mi señor no hubo más falta que carecer de dinero, pero a él nadie le aventajará en nobleza..., y vuestros nietos serán caballeros... si no dan en salir al abuelo...

TODOS.   ¡Casadlos! ¡Casadlos!

PANTALÓN.   O todos caeremos sobre vos.

HOSTELERO.   Y saldrá a relucir vuestra historia...

ARLEQUÍN.   Y nada iréis ganando...

SIRENA.   Os lo pide una dama, conmovida por este amor tan fuera de estos tiempos.

COLOMBINA.   Que más parece de novela.

TODOS.   ¡Casadlos! ¡Casadlos!

POLICHINELA.   Cásense enhoramala. Pero mi hija quedará sin dote y desheredada... Y arruinaré toda mi hacienda antes que ese bergante...[45]

DOCTOR.   Eso sí que no haréis, señor Polichinela.

PANTALÓN.   ¿Qué disparates son esos?

[44] *romancescas:* 'novelescas, de pura invención'.
[45] *bergante:* 'pícaro, sinvergüenza'.

HOSTELERO.   ¡No lo penséis siquiera!

ARLEQUÍN.   ¿Qué se diría?

CAPITÁN.   No lo consentiremos.

SILVIA.   No, padre mío; soy yo la que nada acepto, soy yo la que ha de compartir su suerte. Así le amo.

LEANDRO.   Y sólo así puedo aceptar tu amor... *(Todos corren hacia* SILVIA *y* LEANDRO.*)*

DOCTOR.   ¿Qué dicen? ¿Están locos?

PANTALÓN.   ¡Eso no puede ser!

HOSTELERO.   ¡Lo aceptaréis todo!

ARLEQUÍN.   Seréis felices y seréis ricos.

SEÑORA DE POLICHINELA.   ¡Mi hija en la miseria! ¡Ese hombre es un verdugo!

SIRENA.   Ved que el amor es niño delicado y resiste pocas privaciones.

DOCTOR.   ¡No ha de ser! Que el señor Polichinela firmará aquí mismo espléndida donación, como corresponde a una persona de su calidad y a un padre amantísimo. Escribid, escribid, señor Secretario, que a esto no ha de oponerse nadie.

TODOS.   *(Menos* POLICHINELA.*)* ¡Escribid, escribid!

DOCTOR.   Y vosotros, jóvenes enamorados..., resignaos con las riquezas, que no conviene extremar escrúpulos que nadie agradece.

PANTALÓN.   *(A* CRISPÍN.*)* ¿Seremos pagados?

CRISPÍN.   ¿Quién lo duda? Pero habéis de proclamar que el señor Leandro nunca os engañó... Ved cómo se sacrifica por satisfaceros aceptando esa riqueza, que ha de repugnar a sus sentimientos.

PANTALÓN.   Siempre le creímos un noble caballero.

HOSTELERO.   Siempre.

ARLEQUÍN.   Todos lo creímos.

CAPITÁN.   Y lo sostendremos siempre.

CRISPÍN.   Y ahora, Doctor, ese proceso, ¿habrá tierra bastante en la tierra para echarle encima?

DOCTOR.   Mi previsión se anticipa a todo. Bastará con puntuar debidamente algún concepto... Ved aquí: donde dice... "Y resultando que si no declaró...", basta una coma, y dice: "Y resultando que sí, no declaró..." Y aquí: "Y resultando que no, debe condenársele...", fuera la coma, y dice: "Y resultando que no debe condenársele..."

CRISPÍN. ¡Oh, admirable coma! ¡Maravillosa coma! ¡Genio de la Justicia! ¡Oráculo de la Ley! ¡Monstruo de la Jurisprudencia!

DOCTOR. Ahora confío en la grandeza de tu señor.

CRISPÍN. Descuidad. Nadie mejor que vos sabe cómo el dinero puede cambiar a un hombre.

SECRETARIO. Yo fui el que puso y quitó esas comas...

CRISPÍN. En espera de algo mejor... Tomad esta cadena. Es de oro.

SECRETARIO. ¿De ley?

CRISPÍN. Vos lo sabréis que entendéis de leyes...

POLICHINELA. Sólo impondré una condición: que este pícaro deje para siempre de estar a tu servicio.

CRISPÍN. No necesitáis pedirlo, señor Polichinela. ¿Pensáis que soy tan pobre de ambiciones como mi señor?

LEANDRO. ¿Quieres dejarme, Crispín? No será sin tristeza de mi parte.

CRISPÍN. No la tengáis, que ya de nada puedo serviros y conmigo dejáis la piel del hombre viejo... ¿Qué os dije, señor? Que entre todos habían de salvarnos... Creedlo. Para salir adelante con todo, mejor que crear afectos es crear intereses...

LEANDRO. Te engañas, que sin el amor de Silvia, nunca me hubiera salvado.

CRISPÍN. ¿Y es poco interés ese amor? Yo di siempre su parte al ideal y conté con él siempre. Y ahora, acabó la farsa.

SILVIA. *(Al público.)* Y en ella visteis, como en las farsas de la vida, que a estos muñecos como a los humanos, muévenlos cordelillos groseros, que son los intereses, las pasioncillas, los engaños y todas las miserias de su condición: tiran unos de sus pies y los llevan a tristes andanzas; tiran otros de sus manos, que trabajan con pena, luchan con rabia, hurtan con astucia, matan con violencia. Pero, entre todos ellos, desciende a veces del cielo al corazón un hilo sutil, como tejido con luz de sol y con luz de luna, el hilo del amor, que a los humanos, como a estos muñecos que semejan humanos, les hace parecer divinos, y trae a nuestra frente resplandores de aurora, y pone alas en nuestro corazón y nos dice que no todo es farsa en la farsa, que hay algo divino en nuestra vida que es verdad y es eterno y no puede acabar cuando la farsa acaba.

FIN

DE LA COMEDIA

LA MALQUERIDA

DRAMA EN TRES ACTOS Y EN PROSA

Obra estrenada en el Teatro de la Princesa la noche
de 12 de Diciembre de 1913, con el siguiente

Reparto

Personajes	Actores
LA RAIMUNDA	SRA. GUERRERO
LA ACACIA	SRTA. LADRÓN DE GUEVARA
LA JULIANA	SRA. TORRES
DOÑA ISABEL	SRTA. CANCIO
MILAGROS	SRTA. RUIZ MORAGAS
LA FIDELA	SRTA. HEREDIA
LA ENGRACIA	SRA. SALVADOR
LA BERNABEA	SRTA. RIQUELME
LA GASPARA	SRTA. RIVAS
ESTEBAN	SR. DÍAZ DE MENDOZA (F.)
NORBERTO	SR. DÍAZ DE MENDOZA (M.)
FAUSTINO	SR. MONTENEGRO
EL TÍO EUSEBIO	SR. CARSÍ
BERNABÉ	SR. JUSTE
EL RUBIO	SR. VILCHES

Mujeres, Mozas y Mozos

En un pueblo de Castilla.

A María Guerrero,
JACINTO BENAVENTE.

ACTO PRIMERO

S A L A *en casa de unos labradores ricos.*

ESCENA PRIMERA

La RAIMUNDA, *la* ACACIA, DOÑA ISABEL, MILAGROS, *la* FIDELA, *la* ENGRACIA, *la* GASPARA y *la* BERNABEA. *Al levantarse el telón todas en pie, menos* DOÑA ISABEL, *se despiden de otras cuatro o cinco, entre mujeres y mozas.*

GASPARA.[1] Vaya, queden ustedes con Dios; con Dios, Raimunda.

BERNABEA. Con Dios, doña Isabel... Y tú, Acacia, y tu madre, que sea para bien.

RAIMUNDA. Muchas gracias. Y que todos lo veamos. Anda, Acacia, sal tú con ellas.

TODAS. Con Dios, abur.[1'] *(Gran algazara. Salen las mujeres y las mozas y* ACACIA *con ellas.)*

DOÑA ISABEL. ¡Qué buena moza está la Bernabea!

ENGRACIA. Pues va para el año bien mala que estuvo. Nadie creíamos que lo contaba.

---

[1] Este personaje —la Gaspara— aparece en las ediciones posteriores a las de 1913, como UNA MUJER.

[1'] *Abur* o *agur:* palabra que se usa para despedirse.

147

Doña Isabel. Dicen que se casa también muy pronto.

Fidela. Para San Roque, si Dios quiere.

Doña Isabel. Yo soy la última que se entera de lo que pasa en el pueblo. Como en mi casa todo son calamidades... está una tan metida en sí.

Engracia. ¡Qué! ¿No va mejor su esposo?

Doña Isabel. Cayendo y levantando; aburridas nos tiene. Ya ven todos lo que salimos de casa; ni para ir a misa los más de los domingos. Yo por mí ya estoy hecha, pero esta hija se me está consumiendo.

Engracia. Ya, ya. ¿En qué piensan ustedes? Y tú, mujer, mira que está el año de bodas.

Doña Isabel. Sí, sí, buena es ella. No sé yo de dónde haya de venir el que le caiga en gracia.

Fidela. Pues para monja no irá, digo yo; así, ella verá.

Doña Isabel. Y tú, Raimunda, ¿es a gusto tuyo esta boda? Parece que no te veo muy cumplida.

Raimunda. Las bodas siempre son para tenerles miedo.

Engracia. Pues, hija, si tú no casas la chica a gusto no sé yo quién podamos decir otro tanto; que denguna como ella ha podido escoger entre lo mejorcito.

Fidela. Que comer no ha de faltarles, dar gracias a Dios, y como están las cosas no es lo que menos hay que mirar.

Raimunda. Anda, Milagros, anda abajo con Acacia y los mozos; que me da no sé qué de verte tan parada.

Doña Isabel. Ve, mujer. Es que esta hija es como Dios la ha hecho.

Milagros. Con el permiso de ustedes. *(Sale.)*

Raimunda. Y anden ustedes con otro bizcochito y otra copita.

Doña Isabel. Se agradece, pero yo no puedo con más.

Raimunda. Pues andar vosotras, que esto no es nada.

Doña Isabel. Pues a la Acacia tampoco la veo

como debía de estar un día como el de hoy que vienen a pedirla.

RAIMUNDA. Es que también esta hija mía es como es. ¡Más veces me tiene desesperada! Callar a todo, eso sí, hasta que se descose, y entonces no quiera usted oírla, que la dejará a usted bien parada.

ENGRACIA. Es que se ha criao siempre tan consentida..., como tuvisteis la desgracia de perder a los tres chicos y quedó ella sola, hágase usted cargo... Su padre, pajaritas del aire que le pidiera la muchacha, y tú dos cuartos de lo mismo... Luego, cuando murió su padre, esté en gloria, la chica estaba tan encelada contigo; así es que cuando te volviste a casar le sentó muy malamente. Y eso es lo que ha tenido siempre esa chica, pelusa.

RAIMUNDA. ¿Y qué iba yo a hacerle? Yo bien hubiera querido no volverme a casar... Y si mis hermanos hubieran sido otros... Pero digo, si no entran aquí unos pantalones a poner orden, a pedir limosna andaríamos mi hija y yo a estas horas; bien lo saben todos.

DOÑA ISABEL. Eso es verdad. Una mujer sola no es nada en el mundo.[2] Y que te quedaste viuda muy joven.

RAIMUNDA. Pero yo no sé que esta hija mía y haya podido tener pelusa de nadie; que su madre soy y no sé yo quién la quiera y la consienta más de los dos; que Esteban no ha sido nunca un padrastro pa ella.

DOÑA ISABEL. Y es razón que así sea. No habéis tenido otros hijos.

RAIMUNDA. Nunca va y viene, de ande quiera que sea, que no se acuerde de traerle algo... No se acuerda tanto de mí, y nunca me he sentido por eso; que al fin es mi hija, y el que la quiera de ese modo me ha hecho quererle más. Pero ella... ¿Querrán ustedes creer que ni

---

[2] La afirmación hecha por doña Isabel ("Una mujer sola no es nada en el mundo") reitera, con idénticas palabras casi, otras de Doña Sirena, personaje de *Los intereses creados* (cuadro segundo, escena primera): "...Que una mujer sola nada vale en el mundo..."

cuando era chica, ni ahora, no se diga, y ha permitido
nunca de darle un beso? Las pocas veces que le he
puesto la mano encima no ha sido por otra cosa.

FIDELA.   Y a mí que no hay quien me quite de la
cabeza que tu hija y a quien quiere y es a su primo.

RAIMUNDA.   ¿A Norberto? Pues bien plantao le
dejó de la noche a la mañana. Ésa es otra; lo que pasó
entre ellos no hemos podido averiguarlo nadie.

FIDELA.   Pues ésa es la mía, que nadie hemos podido
explicárnoslo y tiene que haber su misterio.

ENGRACIA.   Y ella puede y que [ya] no se acuerde de
su primo; pero él aún le tiene su idea. Si no, mira y cómo
hoy en cuanto se dijo que venía el novio con su padre a
pedir a tu hija, cogió y bien temprano se fue pa los
Berrocales, y los que le han visto dicen que iba como
entristecío.

RAIMUNDA.   Pues nadie podrá decir que ni Esteban
ni yo la hemos aconsejao en ningún sentío. Ella de por
sí dejó plantao a Norberto, todos lo saben, que ya iban
a correrse las proclamas,[3] y ella consintió de hablar con
Faustino. A él siempre le pareció ella bien, ésa es la verdad... Como su padre ha sido siempre muy amigo de
Esteban, que siempre han andao muy unidos en sus
cosas de la política y de las elecciones, cuantas veces
hemos ido al Encinar por la Virgen o por cualquier otra
fiesta o han venido aquí ellos, el muchacho pues no
sabía qué hacerse con mi hija; pero como sabía que ella
y hablaba aquí con su primo, pues decirle nunca le dijo
nada...Y hasta que ella, por lo que fuera, que nadie lo
sabemos, plantó al otro, éste no dijo nada. Entonces, sí,
cuando supieron y que ella había acabao con su primo,
su padre de Faustino habló con Esteban y Esteban
habló conmigo y yo hablé con mi hija y a ella no le pareció mal; tanto es así que ya lo ven todos, a casarse va, y
si a gusto suyo no fuera, pues no tendría perdón de
Dios, que lo que hace nosotros a gusto suyo y bien que
a su gusto la hemos dejao.

---

[3] *Proclamas:* 'amonestaciones para los que quieren casarse'.

Doña Isabel. Y a su gusto será. ¿Por qué no? El novio es buen mozo y bueno parece.

Engracia. Eso sí. Aquí todos le miran como si fuera del pueblo mismamente; que aunque no sea de aquí es de tan cerca y la familia es tan conocida que no están miraos como forasteros.

Fidela. El tío Eusebio puede y que tenga más tierras en la jurisdicción que en el Encinar.

Engracia. Y que así es. Haste cuenta; se quedó con todo lo del tío Manolito y a más con las tierras de propios que se susbastaron va pa dos años.

Doña Isabel. No, la casa es la más fuerte de por aquí.

Fidela. Que lo diga usted, y que aunque sean cuatro hermanos todos cogerán buen pellizco.

Engracia. Y la de aquí que tampoco va descalza.

Raimunda. Que es ella sola y no tiene que partir con nadie y que Esteban ha mirao por la hacienda que nos quedó de su padre que no hubiera mirao más por una hija suya. *(Se oye el toque de oraciones.)*

Doña Isabel. Las oraciones. *(Rezan todas entre dientes.)* Vaya, Raimunda, nos vamos para casa; que a Telesforo hay que darle de cenar temprano; digo cenar, la pizca de nada que toma.

Engracia. Pues quiere decirse que nosotras también nos iremos si te parece.

Fidela. Me parece.

Raimunda. Si queréis acompañarnos a cenar... A doña Isabel no le digo nada, porque estando su esposo tan delicado no ha de dejarle solo.

Engracia. Se agradece; pero cualquiera gobierna aquella familia si una falta.

Doña Isabel. ¿Cena esta noche el novio con vosotros?

Raimunda. No, señora, se vuelven él y su padre pa el Encinar; aquí no habían de hacer noche y no es cosa de andar el camino a deshora, y estas noches sin luna... Como que ya me parece que se tardan, que ya van cortando mucho los días y luego, luego es noche cerrada.

ENGRACIA.   Acá suben todos. A la cuenta es la despedida.

RAIMUNDA.   ¿No lo dije?

ESCENA II

DICHAS, *la* ACACIA, MILAGROS, ESTEBAN, *el* TÍO
EUSEBIO *y* FAUSTINO.

ESTEBAN.   Raimunda: aquí, el tío Eusebio y Faustino que se despiden.

EUSEBIO.   Ya es hora de volvernos pa casa; antes que se haga noche, que con las aguas de estos días pasados, están esos caminos que es una perdición.

ESTEBAN.   Sí que hay ranchos⁴ muy malos.

DOÑA ISABEL.   ¿Qué dice el novio? Ya no se acuerda de mí. Verdad que bien irá para cinco años que no le había visto.

EUSEBIO.   ¿No conoces a doña Isabel?

FAUSTINO.   Sí, señor; pa servirla. Creí que no se recordaba de mí.

DOÑA ISABEL.   Sí, hombre; cuando mi marido era alcalde; va para cinco años. ¡Buen susto nos diste por San Roque, cuando saliste al toro y creímos todos que te había matado!

ENGRACIA.   El mismo año que dejó tan mal herido a Julián, el de la Eudosia.

FAUSTINO.   Bien me recuerdo, sí, señora.

EUSEBIO.   Aunque no fuera más que por los lapos⁵ que llevó luego en casa... muy merecíos...

FAUSTINO.   ¡La mocedad!

DOÑA ISABEL.   Pues no te digo nada, que te llevas la mejor moza del pueblo; y que ella no se lleva mal mozo tampoco. Y nos vamos, que ustedes aún tendrán que tratar de sus cosas.

⁴ *ranchos:* 'lugares fuera de poblado'.
⁵ *lapos:* 'cintarazos, bofetadas'.

ESTEBAN. Todo está tratao.

DOÑA ISABEL. Anda, Milagros... ¿Qué te pasa?

ACACIA. Que la diga que se quede a cenar con nosotros y no se atreve a pedirle a usted permiso. Déjela usted, doña Isabel.

RAIMUNDA. Sí que la dejará. Luego la acompañan de aquí Bernabé y la Juliana y si es caso también irá Esteban.

DOÑA ISABEL. No, ya mandaremos de casa a buscarla. Quédate, si es gusto de la Acacia.

RAIMUNDA. Claro está, que tendrán ellas que hablar de mil cosas.

DOÑA ISABEL. Pues con Dios todos, [con Dios] tío Eusebio, Esteban.

EUSEBIO. Vaya usted con Dios, doña Isabel... Muchas expresiones a su esposo.

DOÑA ISABEL. De su parte.

ENGRACIA. Con Dios; que lleven buen viaje...

FIDELA. Queden con Dios... *(Salen todas las mujeres.)*

EUSEBIO. ¡Qué nueva está doña Isabel! Y a la cuenta debe de andarse por mis años. Pero bien dicen: quien tuvo, retuvo y guardó para la vejez; porque doña Isabel ha estao una buena moza ande las haya habío.

ESTEBAN. Pero siéntese usted un poco, tío Eusebio. ¿Qué prisa le ha entrao?

EUSEBIO. Déjame estar, que es buena hora de volvernos, que viene muy oscuro. Pero tú no nos acompañes; ya vienen los criados con nosotros.

ESTEBAN. Hasta el arroyo siquiera; es un paseo. *(Entran la* RAIMUNDA, *la* ACACIA *y la* MILAGROS.)

EUSEBIO. Y vosotros, deciros tóo lo que tengáis que deciros.

ACACIA. Ya lo tenemos todo hablao.

EUSEBIO. ¡Eso te creerás tú!

RAIMUNDA. Vamos, tío Eusebio; no sofoque usted a la muchacha.

ACACIA. Muchas gracias de todo.

EUSEBIO. ¡Anda ésta! ¡Qué gracias!

ACACIA.   Es muy precioso el aderezo.[6]

EUSEBIO.   Es lo más aparente que se ha encontrao.

RAIMUNDA.   Demasiado para una labradora.

EUSEBIO.   ¡Qué demasiado! Dejarse estar. Con más piedras que la custodia de Toledo[6'] lo hubiera yo querido. Abraza a tu suegra.

RAIMUNDA.   Ven acá, hombre; que mucho tengo que quererte pa perdonarte lo que te me llevas. ¡La hija de mis entrañas!

ESTEBAN.   ¡Vaya! Vamos a jipar[7] ahora... Mira la chica... Ya está hecha una Madalena.

MILAGROS.   ¡Mujer!... ¡Acacia! *(Rompe también a llorar.)*

ESTEBAN.   ¡Anda la otra! ¡Vaya, vaya!

EUSEBIO.   No ser así... Los llantos por los difuntos. Pero una boda como ésta, tan a gusto de tóos... Ea, alegrarse... y hasta muy pronto.

RAIMUNDA.   Con Dios, tío Eusebio. Y a la Julia que la perdono que no haya venido un día como hoy.

EUSEBIO.   Si ya sabes cómo anda de la vista. Había que haber puesto el carro y está esa subida de los Berrocales pa matarse el ganao.

RAIMUNDA.   Pues déle usted muchas expresiones y que se mejore.

EUSEBIO.   De tu parte.

RAIMUNDA.   Y andarse ya, andarse ya, que se hace noche. *(A ESTEBAN.)* ¿Tardarás mucho?

EUSEBIO.   Ya le he dicho que no venga...

---

[6] *aderezo:* 'juego de joyas'.

[6'] Se refiere a la custodia, obra de Enrique de Arfe por encargo del cardenal Cisneros, que se guarda en la sala del Tesoro de la catedral de Toledo. Es joya de extraordinario valor hecha con el primer oro que Colón trajo de América, plata y riquísima pedrería. Sale todos los años en la procesión del Corpus toledano. Esta referencia da pie para situar en tierra toledana el indeterminado 'pueblo de Castilla' donde transcurre la acción de *La Malquerida*.

[7] *jipar: hipar,* con aspiración de la *h* inicial, 'llorar con sollozos semejantes al hipo'.

ESTEBAN. ¡No faltaba otra cosa! Iré hasta el arroyo. No esperarme a cenar.

RAIMUNDA. Sí que te esperamos. No es cosa de cenar solas un día como hoy. Y a la Milagros le da lo mismo cenar un poco más tarde.

MILAGROS. Sí, señora; lo mismo.

EUSEBIO. ¡Con Dios!

RAIMUNDA. Bajamos a despedirles.

FAUSTINO. Yo tenía que decir una cosa a la Acacia...

EUSEBIO. Pues haberlo dejao pa mañana. ¡Como no habéis platicao tóo el día!

FAUSTINO. Si es que... unas veces que no me he acordao... y otras con el bullicio de la gente...

EUSEBIO. A ver po ande sales...

FAUSTINO. Si no es nada... Madre, que al venir, como cosa suya, me dio este escapulario pa la Acacia; de las monjas de allá.

ACACIA. ¡Es muy precioso!

MILAGROS. ¡Bordao de lentejuela! ¡Y de la Virgen Santísima del Carmen!

RAIMUNDA. ¡Poca devoción que ella le tiene! Da las gracias a tu madre.

FAUSTINO. Está bendecío...

EUSEBIO. Bueno; ya hiciste el encargo. Capaz eras y de haberte vuelto con él y ¡hubiera tenido que oír tu madre! Pero ¡qué corto eres, hijo! No sé yo a quién hayas salío... *(Salen todos. La escena queda sola un instante. Ha ido oscureciendo. Vuelven la* RAIMUNDA, *la* ACACIA *y la* MILAGROS.)

RAIMUNDA. Mucho se han entretenido; salen de noche... ¿Qué dices, hija? ¿Estás contenta?

ACACIA. Ya lo ve usted.

RAIMUNDA. ¡Ya lo ve usted! Pues eso quisiera yo: verlo... ¡Cualquiera sabe contigo!

ACACIA. Lo que estoy es cansada.

RAIMUNDA. ¡Es que hemos llevao un día! Desde las cinco y que estamos en pie en esta casa.

MILAGROS. Y que no habrá faltao nadie a darte el parabién.

RAIMUNDA. Pues todo el pueblo, puede decirse; principiando por el señor cura, que fue de los primeritos. Ya le he dao pa que diga una misa y diez panes pa los más pobrecitos, que de todos hay que acordarse un día así. ¡Bendito sea Dios, que nada nos falta! ¿Están ahí las cerillas?

ACACIA. Aquí están, madre.

RAIMUNDA. Pues enciende esa luz, hija; que da tristeza esta oscuridad. *(Llamando.)* ¡Juliana, Juliana! ¿Ande andará ésa?

JULIANA. *(Dentro y como desde abajo.)* ¿Qué?

RAIMUNDA. Súbete pa acá una escoba y el cogedor.

JULIANA. *(Idem.)* De seguida subo.

RAIMUNDA. Voy a echarme otra falda; que ya no ha de venir nadie.

ACACIA. ¿Quiere usted que yo también me desnude?

RAIMUNDA. Tú déjate estar, que no tienes que trajinar en nada y un día es un día... *(Entra la* JULIANA.*)*

JULIANA. ¿Barro aquí?

RAIMUNDA. No; deja ahí esa escoba. Recoge todo eso; lo friegas muy bien fregao, y lo pones en el chinero;[8] y cuidado con esas copas que es cristal fino.

JULIANA. ¿Me puedo comer un bizcocho?

RAIMUNDA. Sí, mujer, sí. ¡Que eres de golosona!

JULIANA. Pues sí que la hija de mi madre ha disfrutao de nada. En sacar vino y hojuelas[9] pa todos se me ha ido el día, con el sinfín de gente que aquí ha habío... Hoy, hoy se ha visto lo que es esta casa pa todos; y tamién la del tío Eusebio, sin despreciar. Y ya se verá el día de la boda. Yo sé quien va a bailarte[10] una onza de oro y quien va a bailarte una colcha bordada de sedas, con unas flores que las ves tan preciosas de propias que te dan ganas de cogerlas mismamente. Día grande ha de ser. ¡Bendito sea Dios!, de mucha alegría y de muchos

---

[8] *chinero:* 'armario o alacena'.

[9] *hojuelas:* 'frutas de sartén, muy extendidas y delgadas'.

[10] *bailarte:* 'darte gusto con...'.

llantos también; yo la primera, que, no diré yo como tu madre, porque con una madre no hay comparación de nada, pero quitao tu madre... Y que a más de lo que es pa mí esta casa, el pensar en la moza que se me murió, ¡hija de mi vida!, que era así y como eres tú ahora...

RAIMUNDA. ¡Vaya, Juliana!; arrea con todo eso y no nos encojas el corazón tú también, que ya tenemos bastante ca uno con lo nuestro.

JULIANA. No permita Dios de afligir yo a nadie... Pero estos días así, no sé qué tienen que todo se agolpa, bueno y malo, y quiere una alegrarse y se pone más entristecía... Y no digas, que no he querío mentar a su padre de ella, esté en gloria. ¡Válganos Dios! ¡Si la hubiera visto este día! Esta hija, que era pa él la gloria del mundo.

RAIMUNDA. ¿No callarás la boca?

JULIANA. ¡No me riñas, Raimunda! Que es como si castigaras a un perro fiel, que ya sabes que eso he sido yo siempre pa esta casa y pa ti y pa tu hija; como un perro leal, con la ley de Dios al pan que he comido siempre de esta casa, con la honra del mundo como todos lo saben... *(Sale.)*

RAIMUNDA. ¡Qué Juliana!... Y dice bien; que ha sido siempre como un perro de leal y de fiel pa esta casa. *(Se pone a barrer.)*

ACACIA. Madre...

RAIMUNDA. ¿Qué quieres, hija?

ACACIA. ¿Me da usted la llave de esta cómoda,[11] que quiero enseñarle a la Milagros unas cosillas?

RAIMUNDA. Ahí la tienes. Y ahí os quedáis, que voy a dar una vuelta a la cena. *(Sale. La ACACIA y la MILAGROS se sientan en el suelo y abren el cajón de abajo de la cómoda.)*

ACACIA. Mira estos pendientes; me los ha regalao... Bueno, Esteban..., ahora no está mi madre; mi madre quiere que le llame padre siempre.

MILAGROS. Y él bien te quiere.

[11] *cómoda*: 'mueble con tablero de mesa y varios cajones en su frente'.

ACACIA.   Eso sí; pero padre y madre no hay más que
unos... Estos pañuelos también me los trajo él de
Toledo; las letras las han bordao las monjas... Éstas son
tarjetas postales; mira qué preciosas.

MILAGROS.   ¡Qué señoras tan guapetonas!

ACACIA.   Son cómicas de Madrid y de París de Fran
cia... Mira estos niños qué ricos... Esta caja me la trajo é
también llena de dulces.

MILAGROS.   Luego dirás...

ACACIA.   Si no digo nada. Si yo bien veo que me
quiere; pero yo hubiera querido mejor y estar yo sola
con mi madre.

MILAGROS.   Tu madre no te ha querido menos por eso

ACACIA.   ¡Qué sé yo! Está muy ciega por él. No se
yo si tuviera que elegir entre mí y ese hombre...

MILAGROS.   ¡Qué cosas dices! Ya ves, tú ahora te
casas, y si tu madre hubiera seguido viuda bien sola la
dejabas.

ACACIA.   Pero ¿tú crees y que yo me hubiera casao
si me hubiera estao sola con mi madre?

MILAGROS.   ¡Anda! ¿No te habías de haber casao?
Lo mismo que ahora.

ACACIA.   No lo creas. ¿Ande iba yo haber estao má
ricamente que con mi madre en esta casa?

MILAGROS.   Pues no tienes razón. Todos dicen que
tu padrastro ha sido muy bueno para ti y con tu madre
Si no hubiera sido así, ya tú ves, con lo que se habla en
los pueblos...

ACACIA.   Sí ha sido bueno; no diré yo otra cosa. Pero
no me hubiera casao si mi madre no vuelve a casarse

MILAGROS.   ¿Sabes lo que te digo?

ACACIA.   ¿Qué?

MILAGROS.   Que no van descaminados los que dicen
y que tú no quieres a Faustino, que al que tú quieres e
a Norberto.

ACACIA.   No es verdad. ¡Qué voy a quererle! Des
pués de la acción que me hizo.

MILAGROS.   Pero si todos dicen que fuiste tú quien le
dejó.

ACACIA. ¡Que fui yo, que fui yo! Si él no hubiera
dao motivo... En fin, no quiero hablar de esto... Pero no
dicen bien; quiero más a Faustino que le he querido a él.

MILAGROS. Así debe de ser. De otro modo mal
harías en casarte. ¿Te han dicho que Norberto y se fue
del pueblo esta mañana? A la cuenta no ha querido
estar aquí el día de hoy.

ACACIA. ¿Qué más tiene pa él este día que cualquiera otro? Mira, ésta es la última carta que me escribió, después que concluimos... Como yo no he consentío volverle a ver... no sé pa qué la guardo... Ahora
mismito voy a hacerla pedazos. *(La rompe.)* ¡Ea!

MILAGROS. ¡Mujer, con qué rabia!...

ACACIA. Pa lo que dice..., y quemo los pedazos...

MILAGROS. ¡Mujer, no se inflame la lámpara!

ACACIA. *(Abre la ventana.)* Y ahora a la calle, al
viento. ¡Acabao y bien acabao está todo!... ¡Qué oscuridad de noche!

MILAGROS. *(Asomándose también a la ventana.)* Sí
que está miedoso; sin luna y sin estrellas...

ACACIA. ¿Has oído?

MILAGROS. Habrá sido una puerta que habrán
cerrao de golpe.

ACACIA. Ha sonao como un tiro.

MILAGROS. ¡Qué mujer! ¿Un tiro a estas horas? Si
no es que avisan de algún fuego, y no se ve resplandor
de ninguna parte.

ACACIA. ¿Querrás creerme que estoy asustada?

MILAGROS. ¡Qué mujer!

ACACIA. *(Corriendo de pronto hacia la puerta.)*
Madre, madre!

RAIMUNDA. *(Desde abajo.)* ¡Hija!

ACACIA. ¿No ha oído usted nada?

RAIMUNDA. *(Idem.)* Sí, hija; ya he mandao a la
Juliana a enterarse... No tengas susto.

ACACIA. ¡Ay, madre!

RAIMUNDA. *(Idem.)* ¡Calla, hija! Ya subo.

ACACIA. Ha sido un tiro lo que ha sonao, ha sido un
tiro.

MILAGROS.   Aunque así sea; nada malo habrá pasao.

ACACIA.   ¡Dios lo haga! *(Entra* RAIMUNDA.*)*

RAIMUNDA.   ¿Te has asustao, hija? No habrá sido nada.

ACACIA.   También usted está asustada, madre...

RAIMUNDA.   De verte a ti... Al pronto, pues como está tu padre fuera de casa, sí me he sobresaltao... Pero no hay razón para ello. Nada malo puede haber pasao... ¡Calla! ¡Escucha! ¿Quién habla abajo? ¡Ay, Virgen!

ACACIA.   ¡Ay, madre, madre!

MILAGROS.   ¿Qué dicen, qué dicen?

RAIMUNDA.   No bajes tú, que ya voy yo.

ACACIA.   No baje usted, madre.

RAIMUNDA.   Si no sé qué he entendido... ¡Ay Esteban de mi vida y que no le haya pasao nada malo! *(Sale.)*

MILAGROS.   Abajo hay mucha gente..., pero desde aquí no les entiendo lo que hablan.

ACACIA.   Algo malo ha sido, algo malo ha sido. ¡Ay, lo que estoy pensando!

MILAGROS.   También yo, pero no quiero decírtelo.

ACACIA.   ¿Qué crees tú que ha sido?

MILAGROS.   No quiero decírtelo, no quiero decírtelo.

RAIMUNDA.   *(Desde abajo.)* ¡Ay, Virgen Santísima del Carmen! ¡Ay, qué desgracia! ¡Ay, esa pobre madre cuando lo sepa y que han matao a su hijo! ¡Ay, no quiero pensarlo! ¡Ay, qué desgracia, qué desgracia pa todos!

ACACIA.   ¿Has entendío?... Mi madre... ¡Madre..., madre!...

RAIMUNDA.   ¡Hija, hija, no bajes! ¡Ya voy, ya voy! *(Entran la* RAIMUNDA*, la* FIDELA*, la* ENGRACIA *y algunas mujeres.)*

ACACIA. Pero ¿qué ha pasao, qué ha pasao? Ha habido una muerte, ¿verdad?, ha habido una muerte.

RAIMUNDA.   ¡Hija de mi vida! ¡Faustino, Faustino!...

ACACIA.   ¿Qué?

RAIMUNDA.   Que lo han matao, que lo han matao de un tiro a la salida del pueblo.

ACACIA.   ¡Ay madre! ¿Y quien ha sido, quién ha sido?

RAIMUNDA.   No se sabe..., no han visto a nadie...

Pero todos dicen y que ha sido Norberto; pa que sea mayor la desgracia que nos ha venido a todos.

ENGRACIA.   No puede haber sido otro.

MUJERES.   ¡Norberto!... ¡Norberto!

FIDELA.   Ya han acudío los de justicia.

ENGRACIA.   Lo traerán preso.

RAIMUNDA.   Aquí está tu padre. *(Entra* ESTEBAN.*)* ¡Esteban de mi vida! ¿Cómo ha sido? ¿Qué sabes tú?

ESTEBAN.   ¡Qué tengo de saber! Lo que todos... Vosotras no me salgáis de aquí, no tenéis que hacer nada por el pueblo.

RAIMUNDA.   ¡Y ese padre, cómo estará! ¡Y aquella madre, cuando le lleven a su hijo, que salió esta mañana de casa lleno de vida y lleno de ilusiones y vea que se lo traen muerto de tan mala muerte, asesinao de esa manera!

ENGRACIA.   Con la horca no paga y el que haiga sío.

FIDELA.   Aquí, aquí mismo habían de matarlo.

RAIMUNDA.   Yo quisiera verlo, Esteban; que no se lo lleven sin verlo... Y esta hija también; al fin iba a ser su marido.

ESTEBAN.   No acelerarse; lugar habrá para todo. Esta noche no os mováis de aquí, ya lo he dicho. Ahora no tiene que hacer allí nadie más que la justicia; ni el médico ni el cura han podido hacer nada. Yo me vuelvo pa allá, que a todos han de tomarnos declaración. *(Sale* ESTEBAN.*)*

RAIMUNDA.   Tiene razón tu padre. ¿Qué podemos ya hacer por él? Encomendarle su alma a Dios... Y a esa pobre madre que no se me quita del pensamiento... No estés así, hija, que me asustas más que si te viera llorar y gritar. ¡Ay, quién nos hubiera dicho esta mañana lo que tenía que sucedernos tan pronto!

ENGRACIA.   El corazón y dicen que le ha partío.

FIDELA.   Redondo cayó del caballo.

RAIMUNDA.   ¡Qué borrón y qué deshonra pa este pueblo y que de aquí haya salido el asesino con tan mala entraña! ¡Y que sea de nuestra familia pa mayor vergüenza!

GASPARA.   Eso es lo que aún no sabemos nadie.

RAIMUNDA.   ¿Y quién otro puede haber sido? Si lo dicen todos...

ENGRACIA.   Todos lo dicen. Norberto ha sido.

FIDELA.   Norberto, no puede haber sido otro.

RAIMUNDA.   Milagros, hija, enciende esas luces a la Virgen y vamos a rezarle un rosario ya que no podamos hacer otra cosa más que rezarle por su alma.

GASPARA.   ¡El Señor le haiga perdonao!

ENGRACIA.   Que ha muerto sin confesión.

FIDELA.   Y estará su alma en pena. ¡Dios nos libre!

RAIMUNDA.   *(A MILAGROS.)* Lleva tú el rosario; yo ni puedo rezar. ¡Esa madre, esa madre! *(Empiezan a rezar el rosario. Telón.)*

FIN

DEL ACTO PRIMERO

ACTO SEGUNDO

PORTAL *de una casa de labor. Puerta grande al foro, que da al campo. Reja a los lados. Una puerta a la derecha y otra a la izquierda.*

ESCENA PRIMERA

La RAIMUNDA, *la* ACACIA, *la* JULIANA *y* ESTEBAN.

ESTEBAN, *sentado a una mesa pequeña, almuerza. La* RAIMUNDA, *sentada también, le sirve. La* JULIANA *entra y sale asistiendo a la mesa. La* ACACIA, *sentada en una silla baja, junto a una de las ventanas, cose, con un cesto de ropa blanca al lado.*

RAIMUNDA. ¿No está a tu gusto?

ESTEBAN. Sí, mujer.

RAIMUNDA. No has comido nada. ¿Quieres que se prepare alguna otra cosa?

ESTEBAN. Déjate, mujer; si he comido bastante.

RAIMUNDA. ¡Qué vas a decirme! *(Llamando.)* Juliana, trae pa acá la ensalada. Tú has tenido algún disgusto.

ESTEBAN. ¡Qué, mujer!

RAIMUNDA. ¡Te conoceré yo! Como que no has debío ir al pueblo. Habrás oído allí a unos y a otros. Quiere decir que determinamos, muy bien pensao, de venirnos al Soto por no estar allí en estos días, y te vas tú allí esta mañana sin decirme palabra. ¿Qué tenías que hacer allí?

163

ESTEBAN.   Tenía... que hablar con Norberto y con su padre.

RAIMUNDA.   Bueno está; pero les hubieras mandao llamar y que hubieran acudío ellos. Podías haberte ahorrao el viaje y el oír a la demás gente, que bien sé yo las habladurías de unos y de otros que andarán por el pueblo.

JULIANA.   Como que no sirve el estarse aquí sin querer ver ni entender a ninguno, que como el Soto es paso de tóos estos lugares a la redonda, no va y viene uno que no se pare aquí a oliscar[12] y cucharetear[13] lo que a nadie le importa.

ESTEBAN.   Y tú que no dejarás de conversar con todos.

JULIANA.   Pues no, señor, que está usted muy equivocao, que no he hablao con nadie, y aun esta mañana le reñí a Bernabé por hablar más de la cuenta con unos que pasaron del Encinar. Y a mí ya pueden venir a preguntarme, que de mi madre lo tengo aprendido, y es buen acuerdo: al que pregunta mucho, responderle poco, y al contrario.

RAIMUNDA.   Mujer, calla la boca. Anda allá dentro. *(Sale* JULIANA.) ¿Y qué anda por el pueblo?

ESTEBAN.   Anda..., que el tío Eusebio y sus hijos han jurao de matar a Norberto; que ellos no se conforman con que la justicia y le haya soltao tan pronto; que cualquier día se presentan allí y hacen una sonada; que el pueblo anda dividío en dos bandos, y mientras unos dicen que el tío Eusebio tiene razón y que no ha podío ser otro que Norberto, los otros dicen que Norberto no ha sío, y que cuando la justicia le ha puesto en la calle es porque está bien probao que es inocente.

RAIMUNDA.   Yo tal creo. No ha habido una declaración en contra suya; ni el padre mismo de Faustino, ni sus criados; ni tú, que ibas con ellos.

---

[12] *oliscar:* 'husmear, procurar saber algo'.
[13] *cucharetear:* fig. y fam. 'meterse o mezclarse sin necesidad en los negocios ajenos'.

ESTEBAN. Encendiendo un cigarro íbamos el tío Eusebio y yo; por cierto que nos reíamos como dos tontos; porque yo quise presumir con mi encendedor y no daba lumbre, y entonces el tío Eusebio fue y tiró de su buen pedernal y su yesca y me iba diciendo muerto de risa: "Anda, enciende tú con eso pa que presumas con esa maquinaria sacadineros, que yo con esto me apaño tan ricamente..." Y ése fue el mal, que con esta broma nos quedamos rezagaos, y cuando sonó el disparo y quisimos acudir ya no podía verse a nadie. A más que, como luego vimos que había caído muerto, pues nos quedamos tan muertos como él y nos hubieran matao a nosotros que no nos hubiéramos dao cuenta. *(La ACACIA se levanta de pronto y va a salir.)*

RAIMUNDA. ¿Dónde vas, hija, como asustada? ¡Sí que está una pa sobresaltos!

ACACIA. Es que no saben ustedes hablar de otra cosa. ¡También es gusto! No habrá usted contao veces cómo fue y no lo tendremos oído otras tantas.

ESTEBAN. En eso lleva razón... Yo por mí no hablaría nunca; es tu madre.

ACACIA. Tengo soñao más noches... yo, que antes no me asustaba nunca de estar sola ni a oscuras y ahora hasta de día me entran unos miedos...

RAIMUNDA. No eres tú sola; sí que yo duermo ni descanso de día ni de noche... Y yo sí que nunca he sido asustadiza, que ni de noche me daba cuidao de pasar por el campo santo, ni la noche de Ánimas que fuera, y ahora todo me sobrecoge: los ruidos y el silencio... Y lo que son las cosas: mientras creímos todos que podía haber sido Norberto, con ser de la familia y ser una desgracia y una vergüenza pa todos, pues quiere decirse que como ya no tenía remedio, pues... ¡qué sé yo!, estaba yo más conforme..., al fin y al cabo tenía su explicación. Pero ahora..., si no ha sío Norberto, ni nadie sabemos quién ha sío y nadie podemos explicarnos por qué mataron a ese pobre, yo no puedo estar tranquila. Si no era Norberto, ¿quién podía quererle mal? Es que ha sido por una venganza, algún enemigo de su padre, quién sabe si tuyo también..., y quién sabe si no iba contra ti el golpe, y como era de noche y hacía muy oscuro no se confundieron, y lo que no hicieran entonces lo harán otro día y... vamos, que yo no vivo ni descanso, y ca vez que sales de casa y andas por esos caminos me entra un desasosiego... Mismo hoy, como ya te tardabas, en poco estuvo de irme yo pa el pueblo.

ACACIA.   Y al camino ha salido usted.

RAIMUNDA.   Es verdad; pero como te vi desde el altozano que ya llegabas por los molinos y vi que venía el Rubio contigo, me volví corriendo pa que no me riñeras. Bien sé que no es posible, pero yo quisiera ir ahora siempre ande tú fueras, no desapartarme de junto a ti por nada de este mundo; de otro modo no puedo estar tranquila, no es vida ésta.

ESTEBAN.   Yo no creo que nadie me quiera mal. Yo nunca hice mal a nadie. Yo bien descuidao voy ande quiera, de día como de noche.

RAIMUNDA.   Lo mismo me parecía a mí antes, que nadie podía querernos mal... Esta casa ha sío el amparo de mucha gente. Pero basta una mala voluntad, basta con una mala intención; ¡y qué sabemos nosotros si hay quien nos quiere mal sin nosotros saberlo! De ande ha venido este golpe puede venir otro. La justicia ha soltao a Norberto, porque no ha podido probarse que tuviera culpa ninguna... Y yo me alegro. ¿No tengo de alegrarme?, si es hijo de una hermana, la que yo más quería... Yo nunca pude creer que Norberto tuviera tan mala entraña pa hacer una cosa como ésa: ¡asesinar a un hombre a traición! Pero ¿es que ya se ha terminao todo? ¿Qué hace ahora la justicia? ¿Por qué no buscan, por qué no habla nadie? Porque alguien tié que saber, alguno tié que haber visto aquel día quién pasó por allí, quién rondaba por el camino... Cuando nada malo se trama, todos son a dar razón de quién va y quién viene; sin nadie preguntar nada, todo se sabe, y cuando más importa saber, nadie sabe, nadie ha visto nada...

ESTEBAN.   ¡Mujer! ¿Qué particular tiene que así

sea? El que a nada malo va, no tie por qué ocultarse; el que lleva una mala idea, ya mira de esconderse.

RAIMUNDA.   ¿Tú quién piensas que pué haber sido?

ESTEBAN.   ¿Yo? La verdad..., pensaba en Norberto, como todos; de no haber sido él, ya no me [atrevería] a pensar de nadie.

RAIMUNDA.   Pues mira: yo bien sé que vas a reñirme, pero ¿sabes lo que he determinao?

ESTEBAN.   Tú dirás...

RAIMUNDA.   Hablar yo con Norberto. He mandao a Bernabé a buscarlo. Pienso que no tardará en acudir.

ACACIA.   ¿Norberto? ¿Y qué quiere usted saber dél?

ESTEBAN.   Eso digo yo. ¿Qué crees tú que él puede decirte?

RAIMUNDA.   ¡Que sé yo! Yo sé que él a mí no puede engañarme. Por la memoria de su madre he de pedirle que me diga la verdá de todo. Aunque él hubiera sido, ya sabe él que yo a nadie había de ir a contarlo. Es que yo no puedo vivir así, temblando siempre por todos nosotros.

ESTEBAN.   ¿Y tú crees que Norberto va a decirte a ti lo que haya sido, si ha sido él quien lo hizo?

RAIMUNDA.   Pero yo me quedaré [más] satisfecha después de oírle.

ESTEBAN.   Allá tú, pero cree que todo ello sólo servirá para más habladurías, si saben que ha venido a esta casa. A más que hoy ha de venir el tío Eusebio y si se encuentran...

RAIMUNDA.   Por el camino no han de encontrarse, que llegan de una parte ca uno..., y aquí, la casa es grande, y ya estarán al cuidao. *(Entra la* JULIANA.)

JULIANA.   Señor amo...

ESTEBAN.   ¿Qué hay?

JULIANA.   El tío Eusebio que está al llegar y vengo a avisarle, por si no quiere usted verlo.

ESTEBAN.   Yo, ¿por qué? Mira si ha tardao en acudir. Tú verás si acude también el otro.

RAIMUNDA.   Por pronto que quiera...

ESTEBAN.   ¿Y quién te ha dicho a ti que yo no quier[a] ver al tío Eusebio?

JULIANA.   No vaya usted a achacármelo a mí también; que yo por mí no hablo. El Rubio ha sido quien me ha dicho y que usted no quería verle, porque está muy emperrao en que usted no se ha puesto de su parte con la justicia y por eso y han soltao a Norberto.

ESTEBAN.   Al Rubio ya le diré yo quién le manda meterse en explicaciones.

JULIANA.   Otras cosas también había usted de decirle, que está de algún tiempo a esta parte que nos quiere avasallar a todos. Hoy, Dios me perdone si le ofendo, pero me parece que ha bebido más de la cuenta.

RAIMUNDA.   Pues eso sí que no pué consentírsele. Me va a oír.

ESTEBAN.   Déjate, mujer. Ya le diré yo luego.

RAIMUNDA.   Sí que está la casa en república; bien se prevalen de que una no está pa gobernarla... Es que lo tengo visto, en cuantito que una se descuida... ¡Buen rato [14] de holgazanes están todos ellos!

JULIANA.   No lo dirás por mí, Raimunda, que no quisiera oírtelo.

RAIMUNDA.   Lo digo por quien lo digo, y quien se pica ajos come.

JULIANA.   [¡Jesús], Señor!... ¡Quién ha visto esta casa! No parece sino que todos hemos pisao una mala yerba, a todos nos han cambiado; todos son a pagar unos con otros y todos conmigo... ¡Válgame Dios y me dé paciencia pa llevarlo todo!

RAIMUNDA.   ¡Y a mí pa aguantaros!

JULIANA.   Bueno está. ¿A mí también? Tendré yo la culpa de todo...

RAIMUNDA.   Si me miraras a la cara sabrías cuándo habías de callar la boca y quitárteme de delante sin que tuviera que decírtelo.

JULIANA.   Bueno está. Ya me tiés callada como una muerta y ya me quito de delante. ¡Válgame Dios, Señor! No tendrás que decirme nada. *(Sale.)*

ESTEBAN.   Aquí está el tío Eusebio.

---

[14] *rato:* 'mucha o gran cantidad de una cosa'.

ACACIA.   Les dejo a ustedes con él. Cuando me ve se aflige..., y como está que no sabe lo que le pasa, a la postre siempre dice algo que ofende. A él le parece que nadie más que él hemos sentido a su hijo.

RAIMUNDA.   Pues más no digo, pero puede que tanto como su madre y le haya llorao yo. Al tío Eusebio no hay que hacerle caso; el pobre está muy acabao. Pero tiés razón, mejor es que no te vea.

ACACIA.   Estas camisas ya están listas, madre. Las plancharé ahora.

ESTEBAN.   ¿Has estao cosiendo pa mí?

ACACIA.   Ya lo ve usted.

RAIMUNDA.   ¡Si ella no cose...! Yo estoy tan holgazana... ¡Bendito Dios!, no me conozco. Pero ella es trabajadora y se aplica. *(Acariciándola al pasar para el mutis.)* ¿No querrá Dios que tengas suerte, hija? *(Sale* ACACIA.*)* ¡Lo que somos las madres! Con lo acobardá que yo estaba de pensar y que iba a casárseme tan moza, y ahora... ¡qué no daría yo por verla casada!

ESCENA II

La RAIMUNDA, ESTEBAN *y el* TÍO EUSEBIO.

EUSEBIO.   ¿Ande anda la gente?

ESTEBAN.   Aquí, tío Eusebio.

EUSEBIO.   Salud a todos.

RAIMUNDA.   Venga usted con bien, tío Eusebio.

ESTEBAN.   ¿Ha dejado usted acomodás las caballerías?

EUSEBIO.   Ya se ha hecho cargo el espolique.[15]

ESTEBAN.   Siéntese usted. Anda, Raimunda, ponle un vaso del vino que tanto le gusta.

EUSEBIO.   No, se agradece; dejarse estar, que ando muy malamente y el vino no me presta.[16]

---

[15] *espolique*: 'mozo que camina a pie delante de la caballería en que va su amo'.

[16] *presta*: 'sienta bien'.

ESTEBAN.   Pero si éste es talmente una medicina.

EUSEBIO.   No, no lo traigas.

RAIMUNDA.   Como usted quiera. ¿Y cómo va, tío Eusebio, cómo va? ¿Y la Julia?

EUSEBIO.   Figúrate, la Julia... Ésa se me va etrás de su hijo; ya lo tengo pronosticao.

RAIMUNDA.   No lo quiera Dios, que aún le quedan otros cuatro por quien mirar.

EUSEBIO.   Pa más cuidaos; que aquella madre no vive pensando siempre en todo lo malo que puede sucederles. Y con esto de ahora. Esto ha venido a concluir de aplanarnos. Tan y mientras confiamos que se haría justicia... Es que me lo decían todos y yo no quería creerlo... Y ahí le tenéis, al criminal, en la calle, en su casa, riéndose de tóos nosotros; pa afirmarme yo más en lo que ya me tengo bien sabido: que en este mundo no hay más justicia que la que ca uno se toma por su mano. Y a eso darán lugar, y a eso te mandé ayer razón, pa que fueras tú y les dijeses que si mis hijos se presentaban por el pueblo, que no les dejasen entrar por ningún caso, y si era menester que los pusieran presos, todo antes que otro trastorno pa mi casa; aunque me duela que la muerte de mi hijo quede sin castigar, si Dios no la castiga, que tié que castigarla o no hay Dios en el cielo.

RAIMUNDA.   No se vuelva usted contra Dios, tío Eusebio; que aunque la justicia no diera nunca con el que le mató tan malamente a su hijo, nadie quisiéramos estar en su lugar dél. ¡Allá él con su conciencia! Por cosa ninguna de este mundo quisiera yo tener mi alma como él tendrá la suya; que si los que nada malo hemos hecho ya pasamos en vida el purgatorio, el que ha hecho una cosa así tié que pasar el infierno; tan cierto puede usted estar como hemos de morirnos.

EUSEBIO.   Así será como tú dices, pero ¿no es triste gracia que por no hacerse justicia como es debido, sobre lo pasao, tenga yo que andar ahora sobre mis hijos pa estorbarlos de que quieran tomarse la justicia por su mano, y que sean ellos los que, a la postre, se vean en un presidio? Y que lo harán como lo dicen. ¡Hay que oírles!

Hasta el chequetico; va pa los doce años, hay que verle
apretando los puños como un hombre y jurando que el
que ha matao a su hermano se las tié que pagar, sea
como sea... Yo le oigo y me pongo a llorar como una
criatura..., y su madre, no se diga. Y la verdad es que
uno bien quisiera decirles: "¡Andar ya, hijos, y matarle
a cantazos como a un perro malo y hacerle peazos aunque sea y traérnoslo aquí a la rastra!..." Pero tié uno que
tragárselo tóo y poner cara seria y decirles que ni por el
pensamiento se les pase semejante cosa, que sería matar
a su madre y una ruina pa todos...

RAIMUNDA.   Pero, vamos a ver, tío Eusebio, que tampoco usted quiere atender a razones; si la justicia ha sen-
tenciao que no ha sido Norberto, si nadie ha declarao la
menor cosa en contra suya, si ha podido probar ande
estuvo y lo que hizo todo aquel día, una hora tras otra;
que estuvo con sus criados en los Berrocales, que allí le
vio también y estuvo hablando con él don Faustino, el
medico del Encinar, mismo a la hora que sucedió lo que
sucedió..., y diga usted si nadie podemos estar en dos partes al mismo tiempo... Y de sus criados podrá usted decir
que estarían bien aleccionados, por más que no es tan
fácil ponerse tanta gente acordes pa una mentira; pero
don Faustino bien amigo es de usted y bastantes favores
le debe..., y como él otros muchos que habían de estar de
su parte de usted, y todos han declarao lo mismo. Sólo un
pastor de los Berrocales supo decir [y] que él había visto
de lejos a un hombre a aquellas horas, pero que él no
sabría decir quién pudiera ser; pero por la persona y el
aire y el vestido, no podía ser Norberto.

EUSEBIO.   Si a que no fuera él yo no digo nada. Pero
¿deja de ser uno el que lo hace porque haiga comprao a
otro pa que lo haga? Y eso no pué dudarse... La muerte
de mi hijo no tié otra explicación... Que no vengan a mí
a decirme que si éste, que si el otro. Yo no tengo enemigos pa una cosa así. Yo no hice nunca mal a nadie.
Harto estoy de perdonar multas a unos y a otros, sin
mirar si son de los nuestros o de los contrarios. Si mis
tierras paecen la venta de mal abrigo. ¡Si fuea yo a

poner todas las denuncias de los destrozos que me están
haciendo todos los días! A Faustino me lo han matao
porque iba a casarse con la Acacia, no hay más razón y
esa razón no podía tenerla otro que Norberto. Y si todos
hubieran dicho lo que saben, ya se hubiera aclarao todo.
Pero quien más podía decir, no ha querido decirlo...

RAIMUNDA.   Nosotros. ¿Verdad usted?

EUSEBIO.   Yo a nadie señalo.

RAIMUNDA.   Cuando las palabras llevan su intención
no es menester nombrar a nadie ni señalar con el dedo.
Es que usted está creído, porque Norberto sea de la
familia, que si nosotros hubiéramos sabido algo, habíamos de haber callao.

EUSEBIO.   Pero ¿vas tú a decirme que la Acacia no
sabe más de lo que ha dicho?

RAIMUNDA.   No, señor, que no sabe más de lo que
todos sabemos. Es que usted se ha emperrao en que no
puede ser otro que Norberto, es que usted no quiere
creerse de que nadie pueda quererle a usted mal por
alguna otra cosa. Nadie somos santos, tío Eusebio.
Usted tendrá hecho mucho bien, pero también tendrá
usted hecho algún mal en su vida; usted pensará que no
es pa que nadie se acuerde, pero al que se lo haiga usted
hecho no pensará lo mismo. A más, que si Norberto
hubiera estao enamorao de mi hija hasta ese punto,
antes hubiera hecho otras demostraciones. Su hijo de
usted no vino a quitársela; Faustino no habló con ella
hasta que mi hija despidió a Norberto, y le despidió porque supo que él hablaba con otra moza, y él ni siquiera
fue pa venir y disculparse; de modo y manera que si a
ver fuéramos, él fue quien la dejó a ella plantada. Ya ve
usted que nada de esto es pa hacer una muerte.

EUSEBIO.   Pues si así es, ¿por qué a lo primero todos
decían que no podía ser otro? Y vosotros mismos, ¿no
lo ibais diciendo?

RAIMUNDA.   Es que así, al pronto, ¿en quién otro
podía pensarse? Pero si se para uno a pensar, no hay razón
pa creer que él y sólo él pueda haberlo hecho. Pero usted
no parece sino que quiere dar a entender que nosotros

somos encubridores, y sépalo usted, que nadie más que
nosotros quisiéramos que de una vez y se supiera la verdad de todo, que si usted ha perdío un hijo, yo también
tengo una hija que no va ganando nada con todo esto.

EUSEBIO. Como que así es... Y con callar lo que
sabe, mucho menos. Ni vosotros...; que Norberto y su
padre, pa quitarse sospechas, no queráis saber lo que
van propalando de esta casa; que si fuera uno a creerse
de ello...

RAIMUNDA. ¿De nosotros? ¿Qué puen ir propalando? Tú que has estado en el pueblo, ¿qué icen?

ESTEBAN. ¡Quién hace caso!

EUSEBIO. No, si yo no he de creerme de náa que
venga de esa parte, pero bien y que os agradecen el no
haber declarao en contra suya.

RAIMUNDA. Pero ¿vuelve usted a las mismas?...
¿Sabe usted lo que le digo, tío Eusebio? Que tié una que
hacerse cargo de lo que es perder un hijo como usted lo
ha perdío pa no contestarle a usted de otra manera.
Pero una también es madre, ¡caray!, y usted está ofen-
diendo a mi hija y nos ofende a todos.

ESTEBAN. ¡Mujer! No se hable más... ¡Tío Eusebio!

EUSEBIO. Yo a nadie ofendo. Lo que digo es lo que
dicen todos: que vosotros por ser de la familia, y todo el
pueblo por quitarse de esa vergüenza, os habéis confabu-
lao todos pa que la verdad no se sepa. Y si aquí todos
creen que no ha sido Norberto, en el Encinar todos creen
que no ha sido otro. Y si no se hace justicia mu pronto,
va a correr mucha sangre entre los dos pueblos, sin
poder impedirlo nadie, que todos sabemos lo que es la
sangre moza.

RAIMUNDA. ¡Si usted va soliviantando a todos! ¡Si
pa usted no hay razón ni justicia que valga! ¿No está
usted bien convencío de que si no fue que él compró a
otro pa que lo hiciera, él no pudo hacerlo? Y eso de
comprar a nadie pa una cosa así... ¡Vamos, que no me
cabe a mí en la cabeza! ¿A quién puede comprar un
mozo como Norberto? Y no vamos a creer que su padre
dél iba a mediar en una cosa así.

EUSEBIO. Pa comprar a una mala alma no es menester mucho. ¿No tienes ahí, sin ir más lejos, a los de Valderrobles que por tres duros y medio mataron a los dos cabreros?...

RAIMUNDA. ¿Y qué tardó en saberse? que ellos mismos se descubrieron disputando por medio duro. El que compra a un hombre pa una cosa así, viene a ser como un esclavo suyo pa toda la vida. Eso podrá creerse de algún señorón con mucho poder, que pueda comprar a quien le quite de en medio a cualquiera que pueda estorbarle. Pero Norberto...

EUSEBIO. A nadie nos falta un criado que es como un perro fiel en la casa pa obedecer lo que se le manda.

RAIMUNDA. Pué que usted los tenga de esa casta y que alguna vez los haya usted mandao algo parecido, que el que lo hace lo piensa.

EUSEBIO. Mírate bien en lo que estás diciendo.

RAIMUNDA. Usted es el que tié que mirarse.

ESTEBAN. Pero ¿no quiés callar, Raimunda?

EUSEBIO. Ya la estás oyendo. ¿Qué dices tú?

ESTEBAN. Que dejemos ya esta conversación, que todo será volvernos más locos.

EUSEBIO. Por mí, dejáa está.

RAIMUNDA. Diga usted que usted no pué conformarse con no saber quién le ha matao a su hijo, y razón tie usted que le sobra; pero no es razón pa envolvernos a todos; que si usted pide que se haga justicia, más se lo estoy pidiendo yo a Dios todos los días, y que no se quede sin castigar el que lo hizo, así fuera un hijo mío el que lo hubiera hecho.

ESCENA III

DICHOS y el RUBIO.

RUBIO. Con licencia.

ESTEBAN. ¿Qué hay, Rubio?

RUBIO. No me mire usted así, mi amo, que no estoy

bebío... Lo de esta mañana fue que salimos sin almorzar, y me convidaron y un traguete que bebió uno pues le cayó a uno mal y eso fue todo... Lo que siento es que usted se haya incomodao.

RAIMUNDA. ¡Ay, me paece que tú no estás bueno! Ya me lo había dicho la Juliana.

RUBIO. La Juliana es una enreaora. Eso quería ecirle al amo.

ESTEBAN. ¡Rubio! Después me dirás lo que quieras... Está aquí el tío Eusebio. ¿No lo estás viendo?

RUBIO. ¿El tío Eusebio? Ya le había visto... ¿Qué le trae por acá?

RAIMUNDA. ¡Qué te importa a ti qué le traiga o le deje de traer! ¡Habráse visto! Anda, anda y acaba de dormirla, que tú no estás en tus cabales.

RUBIO. No me diga usted eso, mi ama.

ESTEBAN. ¡Rubio!

RUBIO. La Juliana es una enreaora. Yo no he bebío..., y el dinero que se me cayó era mío, yo no soy ningún ladrón, ni he robao a nadie... Y mi mujer tampoco le debe a nadie lo que lleva encima..., ¿verdá usted, señor amo?

ESTEBAN. ¡Rubio! Anda ya, y acuéstate y no parezcas hasta que te hayas hartao de dormir... ¿Qué dirá el tío Eusebio? ¿No has reparao?

RUBIO. Demasiao que he reparao... Bueno está... No tié usted que ecirme nada... *(Sale.)*

RAIMUNDA. Pa lo que dice usted de los criados, tío Eusebio. Sin tenerle que tapar a uno nada, ya de por sí saben abusar... Dígame usted si tuviera uno cualquier tapujo con ellos... Pero ¿pué saberse qué le ha pasao hoy al Rubio? ¿Es que ahora y va a emborracharse todos los días? Nunca había tenido él esa falta; pues no vayas a consentírsela, que como empiece así...

ESTEBAN. ¡Qué, mujer! Si porque no tié costumbre es por lo que hoy se ha achispao una miaja. A la cuenta, mientras yo andaba a unas cosas y otras por el pueblo, le han convidao en la taberna... Ya le he reñío yo, y le mandé acostar; pero a la cuenta, no ha dormío bastante

y se ha entrao aquí sin saber entoavía lo que se habla...
No es pa espantarse...

EUSEBIO.   Claro está que no. ¿Mandáis algo?

ESTEBAN.   ¿Ya se vuelve usted, tío Eusebio?

EUSEBIO.   Tú verás. Lo que siento es haber venío pa
tener un disgusto.

RAIMUNDA.   Aquí no ha habido disgusto ninguno.
¡Qué voy yo a disgustarme con usted!

EUSEBIO.   Así debe de ser. ¡Hacerse cargo, con lo
que a mí me ha pasao! Esa espina no se arranca así
como así; clavada estará y bien clavada hasta que quiera
Dios llevársele a uno de este mundo... ¿Tenéis pensao
de estar muchos días en el Soto?

ESTEBAN.   Hasta el domingo. Aquí no hay nada que
hacer. Sólo hemos venido por no estar en el pueblo en
estos días; como al volver Norberto tóo habían de ser
historias...

EUSEBIO.   Como que así será. Pues yo no te dejo
encargao otra cosa, cuando estés allí, que estés a la mira
por si se presentan mis hijos, que no me vayan a hacer
alguna, que no quiero pensarlo.

ESTEBAN.   Vaya usted descuidao; pa que hicieran
algo estando yo allí, mal había yo de verme.

EUSEBIO.   Pues no te digo más. Estos días les tengo
entretenidos trabajando en las tierras de la linde del
río... Si no va por allí alguno que me los solivante...
Vaya, quedar con Dios. ¿Y la Acacia?

RAIMUNDA.   Por no afligirle a usted no habrá acudío... Y que ella también de verle a usted se recuerda de
muchas cosas.

EUSEBIO.   Tiés razón.

ESTEBAN.   Voy a que saquen las caballerías.

EUSEBIO.   Déjate estar. Yo daré una voz... ¡Francisco! Allá viene. No vengas tú, mujer. Con Dios. (Van
saliendo.)

RAIMUNDA.   Con Dios, tío Eusebio; y pa la Julia no
le digo a usted nada..., que me acuerdo mucho de ella, y
que más tengo rezao por ella que por su hijo, que a él
Dios le habrá perdonao, que ningún daño hizo pa tener

el mal fin que tuvo... ¡Pobre! *(Han salido* ESTEBAN *y el*
TÍO EUSEBIO.*)*

ESCENA IV

RAIMUNDA *y* BERNABÉ.

BERNABÉ. ¡Señora ama!
RAIMUNDA. ¿Qué? ¿Viste a Norberto?
BERNABÉ. Como que aquí está; ha venido conmigo.
¡Más pronto! Él, de su parte, estaba deseandito de avis-
tarse con usted.
RAIMUNDA. ¿No os habréis cruzao con el tío Eusebio?
BERNABÉ. A lo lejos le vimos llegar de la parte del
río; conque nosotros echamos de la otra parte y nos
metimos por el corralón, y allí me [he dejao] a Norberto
agazapao, hasta que el tío Eusebio se volviera pa el
Encinar.
RAIMUNDA. Pues mira si va ya camino.
BERNABÉ. Ende aquí le veo que ya va llegando por
la cruz.
RAIMUNDA. Pues ya puedes traer a Norberto.
Atiende antes. ¿Qué anda por el pueblo?
BERNABÉ. Mucha maldá, señora ama. Mucho va a
tener que hacer la justicia si quiere averiguar algo.
RAIMUNDA. Pero allí, ¿nadie cree que haya sío Norberto?, ¿verdad?
BERNABÉ. Y que le arrean un estacazo al que diga
otra cosa. Ayer, cuando llegó, que ya venía medio pueblo
con él, que salieron al camino a esperarle, todo el pueblo
se juntó pa recibirle, y en volandas le llevaron hasta su
casa, y todas las mujeres lloraban, y todos los hombres le
abrazaban, y su padre se quedó como acidentao...
RAIMUNDA. ¡Pobre! ¡No, no podía haber sío él!
BERNABÉ. Y como se susurra que los del Encinar y
se han dejao decir que vendrán a matarl[e] el día menos
pensao, pues tóos los hombres, hasta los más viejos,
andan con garrotes y armas escondías.

RAIMUNDA. ¡Dios nos asista! Atiende: el amo, cuando estuvo allí esta mañana, ¿sabes si ha tenío algún disgusto?

BERNABÉ. ¿Ya le han venío a usted con el cuento?

RAIMUNDA. No..., es decir, sí, ya lo sé.

BERNABÉ. El Rubio, que se entró en la taberna y paece ser que allí habló cosas... Y como le avisaron al amo, se fue allí a buscarle y le sacó a empellones, y él se insolentó con el amo... Estaba bebío...

RAIMUNDA. ¿Y qué hablaba el Rubio, si pué saberse?

BERNABÉ. Que se fue de la lengua... Estaba bebío... ¿Quiere usted que le diga mi sentir? Pues que no debieran ustedes de parecer por el pueblo en unos cuantos días.

RAIMUNDA. Ya puedes tenerlo por seguro. Lo que hace a mí, no volvería nunca... ¡Ay Virgen, que me ha entrao una desazón que echaría a correr tóo ese camino largo adelante y después me subiría por aquellos cerros y después no sé yo ande quisiá esconderme, que no parece sino que viene alguien detrás de mí, pero que pa matarme!... Y el amo... ¿Ande está el amo?

BERNABÉ. Con el Rubio andaba.

RAIMUNDA. Ve y tráete a Norberto. *(Sale* BERNABÉ.*)*

ESCENA V

RAIMUNDA y NORBERTO.

NORBERTO. ¡Tía Raimunda!

RAIMUNDA. ¡Norberto! ¡Hijo! Ven que te abrace.

NORBERTO. Lo que me he alegrao de que usted quisiea verme. Despúes de mi padre y de mi madre, en gloria esté, y más vale, si había de verme visto como me han visto todos..., como un criminal, de nadie me acordaba como de usted.

RAIMUNDA. Yo nunca he podido creerlo, aunque lo decían todos.

NORBERTO. Bien lo sé, y que usted ha sío la primera en defenderme. ¿Y la Acacia?

RAIMUNDA. Buena está; pero con la tristeza del mundo en esta casa.

NORBERTO. ¡Decir que yo había matao a Faustino! ¡Y pensar que, si no puedo probar, como pude probarlo, lo que había hecho todo aquel día, si como lo tuve pensao, cojo la escopeta y me voy yo solo a tirar unos tiros y no puedo dar razón de ande estuve, porque nadie me hubiera visto, me echan a un presidio pa toda la vida!...

RAIMUNDA. ¡No llores, hombre!

NORBERTO. Si esto no es llorar; llantos los que tengo lloraos entre aquellas cuatro paeres de una cárcel; que si me hubiean dicho a mí que tenía que ir allí algún día... Y lo malo no ha concluío. El tío Eusebio y sus hijos y todos los del Encinar sé que quién matarme... No quién creerse de que yo estoy inocente de la muerte de Faustino, tan cierto como mi madre está bajo tierra.

RAIMUNDA. Como nadie sabe quién haya sío... Como nada ha podido averiguarse..., pues, ya se ve, ellos no se conforman...Tú, ¿de nadie sospechas?

NORBERTO. Demasiao que sospecho.

RAIMUNDA. ¿Y no le has dicho nada a la justicia?

NORBERTO. Si no hubiea podido por menos pa verme libre, lo hubiea dicho todo... Pero ya que no haya habío necesidá de acusar a nadie... Así como así, si yo hablo... harían conmigo igual que hicieron con el otro.

RAIMUNDA. Una venganza, ¿verdad? Tú crees que ha sío una venganza... ¿Y de quién piensas tú que pué haber sío? Quisiera saberlo, porque, hazte cargo, el tío Eusebio y Esteban tien que tener los mismos enemigos; juntos han hecho siempre bueno y malo, y no puedo estar tranquila... Esa venganza tanto ha sío contra el tío Eusebio como en contra de nosotros; pa estorbar que estuviean [tan] unidas las dos familias; pero pueden no contentarse con esto y otro día pueden hacer lo mismo con mi marido.

NORBERTO. Por tío Esteban no pase usted cuidao.

RAIMUNDA. Tú crees...

NORBERTO. Yo no creo nada.

RAIMUNDA. Vas a decirme todo lo que sepas. A más

de que, no sé por qué me paece que no eres tú solo a saberlo. Si será lo mismo que ha llegao a mi conocimiento. Lo que dicen todos...

NORBERTO.   Pero no es que se haya sabío por mí... Ni tampoco pué saberse; es un runrún que anda por el pueblo, náa más... Por mí náa se sabe.

RAIMUNDA.   Por la gloria de tu madre, vas a decírmelo todo, Norberto.

NORBERTO.   No me haga usted hablar. Si yo no he querido hablar ni a la justicia... Y si hablo me matan, tan cierto que me matan.

RAIMUNDA.   Pero ¿quién pué matarte?

NORBERTO.   Los mismos que han matao a Faustino.

RAIMUNDA.   Pero ¿quién ha matao a Faustino? Alquien comprao pa eso, ¿verdad? Esta mañana en la taberna hablaba el Rubio...

NORBERTO.   ¿Lo sabe usted?

RAIMUNDA.   Y Esteban fue a sacarle de allí pa que no hablara...

NORBERTO.   Pa que no le comprometiera.

RAIMUNDA.   ¡Eh! ¡Pa que no le comprometiera!... Porque el Rubio estaba diciendo que él...

NORBERTO.   Que él era el amo de esta casa.

RAIMUNDA.   ¡El amo de esta casa! Porque el Rubio ha sío...

NORBERTO.   Sí, señora.

RAIMUNDA.   El que ha matao a Faustino...

NORBERTO.   Eso mismo.

RAIMUNDA.   ¡El Rubio! Ya lo sabía yo... ¿Y lo saben todos en el pueblo?

NORBERTO.   Si él mismo se va descubriendo; si ande llega principia a enseñar dinero, hasta billetes... Y esta mañana, cuando le cantaron la copla en su cara, se volvió contra todos y fue cuando avisaron a tío Esteban y le sacó a empellones de la taberna...

RAIMUNDA.   ¿La copla? Una copla que han sacao... Una copla que dice... ¿Cómo dice la copla?

NORBERTO.   El que quiera a la del Soto,
        tié pena de la vida.

Por quererla quien la quiere
le dicen la Malquerida.

RAIMUNDA. Los del Soto somos nosotros, así nos dicen, en esta casa... Y la del Soto no pué ser otra que la Acacia..., ¡mi hija! Y esa copla... es la que cantan todos... Le dicen la Malquerida... ¿No dice así? Y ¿quién la quiere mal? ¿Quién pué quererle mal a mi hija? La querías tú y la quería Faustino... Pero ¿quién otro pué quererla y por qué la dicen Malquerida?... Ven acá... ¿Por qué dejaste tú de hablar con ella, si la querías? ¿Por qué? Vas a decírmelo tóo... Mira que peor de lo que ya sé no vas a decirme nada...

NORBERTO. No quiera usted perderme y perdernos a todos. Nada se ha sabío por mí; ni cuando me vi preso quise decir náa... Se ha sabío, yo no sé cómo, por el Rubio, por mi padre, que es la única persona con quien lo tengo comunicao... Mi padre sí quería hablarle a la justicia, y yo no le he dejao, porque le matarían a él y me matarían a mí.

RAIMUNDA. No me digas náa; calla la boca... Si lo estoy viendo todo, lo estoy oyendo todo. ¡La Malquerida, la Malquerida! Escucha aquí. Dímelo a mí todo...Yo te juro que pa matarte a ti, tendrán que matarme a mí antes. Pero ya ves que tié que hacerse justicia, que mientras no se haga justicia el tío Eusebio y sus hijos van a perseguirte y de ésos sí que no podrás escapar. A Faustino lo han matao pa que no se casara con la Acacia, y tú dejaste de hablar con ella pa que no hicieran lo mismo contigo. ¿Verdad? Dímelo todo.

NORBERTO. A mí se me dijo que dejara de hablar con ella, porque había el compromiso de casarla con Faustino, que era cosa tratada de antiguo con el tío Eusebio, y que si no me avenía a las buenas, sería por las malas, y que si decía algo de todo esto... pues que...

RAIMUNDA. Te matarían. ¿No es eso? Y tú...

NORBERTO. Yo me creí de todo, y la verdad, tomé miedo, y pa que la Acacia se enfadara conmigo, pues prencipié [de] cortejar a otra moza, que náa me importaba... Pero como luego supe que náa era verdad, que ni

el tío Eusebio ni Faustino tenían tratao cosa ninguna
con tío Esteban... Y cuando mataron a Faustino... pues
ya sabía yo por qué lo habían matao; porque al pretender él a la Acacia, ya no había razones que darle como
a mí; porque al tío Eusebio no se le podía negar la boda
de su hijo, y como no se le podía negar se hizo como que
se consentía a todo, hasta que hicieron lo que hicieron,
que aquí estaba yo pa achacarme la muerte. ¿Qué otro
podía ser? El novio de la Acacia por celos... Bien urdío
sí estaba. ¡Valga Dios que algún santo veló por mí aquel
día! Y que el delito pesa tanto que él mismo viene a des-
cubrirse.

RAIMUNDA.   ¡Quié decir que todo ello es verdad!
¡Que no sirve querer estar ciegos pa no verlo!... Pero
¿qué venda tenía yo elante los ojos?... Y ahora todo como
la luz de claro... Pero ¡quién pudiea seguir tan ciega!

NORBERTO.   ¿Ande va usted?

RAIMUNDA.   ¿Lo sé yo? Voy sin sentío... Si es tan
grande lo que me pasa, que paece que no me pasa nada.
Mira tú, de tóo ello, sólo [se] me ha quedao la copla, esa
copla de la Malquerida... Tiés que enseñarme el son pa
cantarla... ¡Y a ese son vamos a bailar tóos hasta que nos
muramos! ¡Acacia, Acacia, hija!... Ven acá.

NORBERTO.   ¡No la llame usted! ¡No se ponga usted
así que ella no tié culpa!

ESCENA VI

DICHOS y la ACACIA, después BERNABÉ y ESTEBAN.

ACACIA.   ¿Qué quié usted, madre? ¡Norberto!

RAIMUNDA.   ¡Ven acá! ¡Mírame fijo a los ojos!

ACACIA.   Pero ¿qué le pasa a usted, madre?

RAIMUNDA.   ¡No, tú no pués tener culpa!

ACACIA.   Pero ¿qué le han dicho a usted, madre?
¿Qué le has dicho tú?

RAIMUNDA.   Lo que saben ya tóos... ¡La Malquerida! ¡Tú no sabes que anda en coplas tu honra!

ACACIA. ¡Mi honra! ¡No! ¡Eso no han podido decírselo a usted!

RAIMUNDA. No me ocultes náa. Dímelo todo. ¿Por qué no le has llamao nunca padre? ¿Por qué?

ACACIA. Porque no hay más que un padre; bien lo sabe usted. Y ese hombre no podía ser mi padre, porque yo le he odiao siempre, ende que entró en esta casa, pa traer el infierno consigo.

RAIMUNDA. Pues ahora vas a llamarle tú y vas a llamarle como yo te digo, padre... Tu padre, ¿entiendes? ¿Me has entendío? Te he dicho que llames a tu padre.

ACACIA. ¿Quié usted que vaya al campo santo a llamarle? Si no es el que está allí yo no tengo otro padre. Ése... es su marido de usted, el que usted ha querido, y pa mí no pué ser más que ese hombre, ese hombre, no sé llamarle de otra manera. Y si ya lo sabe usted tóo, no me atormente usted. ¡Que le prenda la justicia y que pague tóo el mal que ha hecho!

RAIMUNDA. La muerte de Faustino, ¿quiés decir? y a más... dímelo todo.

ACACIA. No, madre; si yo hubiera sío consentidora no hubieran matao a Faustino. ¿Usted cree que yo no he sabío guardarme?

RAIMUNDA. ¿Y por qué has callao? ¿Por qué no me lo has dicho a mí tóo?

ACACIA. ¿Y se hubiera usted creído de mí más que de ese hombre, si estaba usted ciega por él? Y ciega tenía usted que estar pa no haberlo visto... Si elante de usted me comía con los ojos, si andaba desatinao tras mí a toas horas, ¿y quiere usted que le diga más? Le tengo odiao tanto, le aborrezco tanto, que hubiera querío que anduviese entavía más desatinao a ver si se le quitaba a usted la venda de los ojos, pa que viera usted qué hombre es ése, el que me ha robao su cariño, el que usted ha querío tanto, más que quiso usted nunca a mi padre.

RAIMUNDA. ¡Eso no, hija!

ACACIA. Pa que le aborreciera usted como yo le aborrezco, como me tié mandao mi padre que le aborrezca, que muchas veces lo he oído como una voz del otro mundo.

RAIMUNDA.   ¡Calla, hija, calla! Y ven aquí junto a tu madre, que ya no me queda más que tú en el mundo, y ¡bendito Dios que aún puedo guardarte! *(Entra BERNABÉ.)*

BERNABÉ.   ¡Señora ama, señora ama!

RAIMUNDA.   ¿Qué traes tú tan acelerao? De seguro nada bueno.

BERNABÉ. Es que vengo a darle aviso de que no salga de aquí Norberto por ningún caso.

RAIMUNDA.   ¿Pues luego...?

BERNABÉ.   Están apostaos los hijos del tío Eusebio con sus criados pa salirle al encuentro.

NORBERTO.   ¿Qué le decía yo a usted? ¿Lo está usted viendo? ¡Vienen a matarme! ¡Y me matan, tan cierto que me matan!

RAIMUNDA.   ¡Nos matarán a tóos! Pero eso tié que haber sío que alguien ha corrido a llamarles.

BERNABÉ.   El Rubio ha sío; que le he visto yo correrse por la linde del río hacia las tierras del tío Eusebio; el Rubio ha sío quien les ha dao el soplo.

NORBERTO.   ¿Qué le decía yo a usted? Pa taparse ellos quieren que los otros me maten, pa que no haiga más averiguaciones; que los otros se darán por contentos creyendo que han matao a quien mató a su hermano... Y me matarán, tía Raimunda, tan cierto que me matan... Son muchos contra uno,[16'] que yo no podré defenderme, que ni un mal cuchillo traigo, que no quiero llevar arma ninguna por no tumbar a un hombre,

---

[16'] En el manuscrito, con letra del autor, conservado en la Biblioteca Nacional, el texto aparece ampliado con las palabras que figuran a continuación entre corchetes: "...y me matarán, tía Raimunda, tan cierto que me matan... Son muchos contra uno [y vienen amparaos del amo de la casa. ¡Ay, madre! ¡Sálveme usted tía Raimunda, sálveme usted por la memoria de mi madre, por la memoria de su madre de usted, que era su hermana más querida,] que yo no podré defenderme, que...".

que quiero mejor que me maten antes que volverme a
ver ande ya me he visto... ¡Sálveme usted, que es muy
triste morir sin culpa, acosao como un lobo!

RAIMUNDA. No tiés que tener miedo. Tendrán que
matarme a mí antes, ya te lo he dicho... Entra ahí con
Bernabé. Tú coge la escopeta... Aquí no se atreverán a
entrar, y si alguno se atreve, le tumbas sin miedo, sea
quien sea. ¿Has entendío? Sea quien sea. No es menester que cerréis la puerta. Tú, aquí conmigo, hija. ¡Esteban!... ¡Esteban! ¡Esteban!

ACACIA. ¿Qué va usted a hacer? *(Entra* ESTEBAN.*)*

ESTEBAN. ¿Qué me llamas?

RAIMUNDA. Escucha bien. Aquí está Norberto, en tu
casa; allí tiés apostaos a los hijos del tío Eusebio pa que
lo maten; que ni eso eres tú hombre pa hacerlo por ti y
cara a cara.

ESTEBAN. *(Haciendo intención de sacar un arma.)*
¡Raimunda!

ACACIA. ¡Madre!

RAIMUNDA. ¡No, tú no! Llama al Rubio pa que nos
mate a tóos, que a tóos tié que matarnos pa encubrir tu
delito... ¡Asesino, asesino!

ESTEBAN. ¡Tú estás loca!

RAIMUNDA. Más loca tenía que estar; más loca
estuve el día que entraste en esta casa, en mi casa, como
un ladrón pa robarme lo que más valía.

ESTEBAN. Pero ¿pué saberse lo que estás diciendo?

RAIMUNDA. Si yo no digo náa, si lo dicen tóos, si lo
dirá muy pronto la justicia, y si no quieres que sea ahora
mismo, que no empiece yo a voces y lo sepan tóos...[16"]
Escucha bien: tú que los has traído, llévate a esos hombres que aguardan a un inocente pa matarle a mansalva.
Norberto no saldrá de aquí más que junto conmigo, y pa
matarle a él tién que matarme a mí... Pa guardarle a él y
pa guardar a mi hija me basto yo sola, contra ti y contra

[16"] En el ms. citado: "...y lo sepan todos, [que aún soy ama en
mi casa; más que tú, que has venío como un ladrón a ella pa
robarme lo que más valía...] Escucha bien:...".

tóos los asesinos que tú pagues. ¡Mal hombre! ¡Anda ya
y ve a esconderte en lo más escondío de esos cerros, en
una cueva de alimañas! Ya han acudido tóos, ya no puedes atreverte conmigo... ¡Y aunque estuviera yo sola
con mi hija! ¡Mi hija, mi hija! ¿No sabías que era mi
hija? ¡Aquí la tiés! ¡Mi hija! ¡La Malquerida! Pero aquí
estoy yo pa guardarla de ti, y hazte cuenta de que vive
su padre... ¡Y pa partirte el corazón si quisieras llegarte
a ella! *(Telón.)*

FIN

DEL ACTO SEGUNDO

LA MALQUERIDA

DRAMA

en tres actos y en prosa

ORIGINAL DE

JACINTO BENAVENTE

Estrenado en el TEATRO DE LA PRINCESA la noche de
12 de Diciembre de 1913

❋

MADRID
R. VELASCO, IMP., MARQUÉS DE SANTA ANA, 11 DUP.º
Teléfono número 551

—

1913

Portada de *La Malquerida,* edición de 1913.

Benavente en una de sus tertulias madrileñas,
en el café de Levante.

ACTO TERCERO

L A *misma decoración del segundo.*

ESCENA PRIMERA

RAIMUNDA *y la* JULIANA.

RAIMUNDA *a la puerta, mirando con ansiedad a todas partes. Después la* JULIANA.

JULIANA. ¡Raimunda!
RAIMUNDA. ¿Qué traes? ¿Está peor?
JULIANA. No, mujer, no te asustes.
RAIMUNDA. ¿Cómo está? ¿Por qué le has dejao solo?
JULIANA. Se ha quedao como adormilao, pero no se queja de náa, y la Acacia está allí junto. Es que me das tú más cuidao que el herido. Lo de él, gracias a Dios, no es de muerte. Pero ¿es que te vas a pasar todo el día sin querer tomar nada?
RAIMUNDA. ¡Déjate, déjate!
JULIANA. Pues ven pa allá dentro con nosotras. ¿Qué haces aquí?
RAIMUNDA. Miraba si Bernabé no estaría al llegar.
JULIANA. Si vienen con él los que han de llevarse a Norberto no podrá estar tan pronto de vuelta. Y si vienen también los de Justicia...
RAIMUNDA. Los de Justicia... La Justicia en esta casa... ¡Ay, Juliana, y qué maldición habrá caído sobre ella!

JULIANA. Vamos, entra y no mires más de una parte y de otra, que no es Bernabé el que tú quisieas ver llegar; es otro, es tu marido, que no puede dejar de ser tu marido.

RAIMUNDA.   Así es, que lo que ha durao muchos años no puede concluirse en un día. Sabiendo lo que sé, sabiendo que ya no puede ser otra cosa, y que si le viea llegar sería pa maldecir dél y pa aborrecerle toda mi vida, estoy aquí mirando de una parte y de otra, que quisiea pasar con los ojos las piedras de esos cerros, y me paece que le estoy aguardando como otras veces, pa verle llegar lleno de alegría y entrarnos de bracero[17] como dos novios y sentarnos a comer, y sentaos a la mesa, contarnos todo lo que habíamos hecho, el tiempo que habíamos estao el uno sin el otro y reír unas veces y porfiar otras, pero siempre con el cariño del mundo. ¡Y pensar que todo ha concluido, que ya tóo sobra en esta casa, que ya pa siempre se fue la paz de Dios de con nosotros!

JULIANA.   Sí que es pa no creerse ya de náa de este mundo. Y yo por mí, vamos, que si no me lo hubieas dicho tú, y si no te viea como te veo, nunca lo hubiea creído. Lo de la muerte de Faustino, ¡anda con Dios!, aún pudiea tener algún otro misterio, pero lo que hace al mal querer que le ha entrao por la Acacia, vamos, que se me resiste a creerlo. Y ello es que la una cosa sin la otra no hay quien pueda explicársela.

RAIMUNDA.   ¿De modo que tú nunca habías reparao la menor cosa?

JULIANA.   Ni por lo más remoto. Y tú sabes que ende que entró en esta casa pa enamorarte, nunca le he mirao con buenos ojos, que tú sabes cómo yo quería a tu primer marío, que hombre más de bien y más cabal no le ha habío en el mundo..., y vamos, ¡Jesús!, que si yo hubiea reparao nunca una cosa así, ¿de aonde me había yo de estar calláa?... Ahora que una lo sabe, ya cae una en la cuenta de que era mucho regalar a la muchacha, y

---

[17] *de bracero:* 'loc. ad. con que se denota que dos personas van asidas una al brazo de la otra'.

mucho no darse por sentío, por más de que ella le
hiciera tantos desprecios, que no ha tenío palabra
buena con él ende[18] que te casaste, que era ella un
redrojo[19] y ya se le plantaba a insultarle, que no servía
reprenderla unos y otros, ni que tú la tundieas a golpes.
Y mía tú, como digo una cosa digo otra. Pué que si ella
ende pequeña le hubiea tomao cariño y él se hubiea
hecho a mirarla como hija suya no hubiea llegao a lo
que ha llegao.

RAIMUNDA.   ¿Vas tú a disculparle?

JULIANA. ¡Qué voy a disculpar, mujer; no hay disculpa
pa una cosa así! Con sólo que hubiea mirao que era hija
tuya. Pero, vamos, quieo decirte que pa él, salvo ser tu
hija, la muchacha era como una extraña, y ya te digo,
otra cosa hubiea sío si ella le hubiea mirao como padre
ende un principio, porque él no es un mal hombre; el
que es malo es siempre malo, y a lo primero de casaros,
cuando la Acacia era bien chica, más de cuatro veces le
he visto yo caérsele los lagrimones, de ver y que la
muchacha le huía como al demonio.

RAIMUNDA.   Verdad es, que son los únicos disgustos
que hemos tenío, por esa hija siempre.

JULIANA.   Despúes la muchacha ha crecío, como
tóos sabemos, que no tié su par ande quiea que se presenta, y despegá dél como una extraña y siempre elante
los ojos, pues nadie estamos libres de un mal pensamiento.

RAIMUNDA.   De un mal pensamiento no te digo,
aunque nunca había de haber tenío ese mal pensamiento. Pero un mal pensamiento se espanta, cuando no
se tié mala entraña. Pa llegar a lo que ha llegao, a tramar
la muerte de un hombre, pa estorbar y que mi hija se
casara y saliera de aquí, de su lao, ya tié que haber más
que un mal pensamiento, ya tié que estarse pensando
siempre lo mismo, al acecho siempre como un criminal,

18 *ende:* por *dende,* 'desde'.
19 *redrojo:* 'racimo pequeño', término empleado metafórica-
mente.

con la maldad del mundo. Si yo también quisiea pensar
que no hay tanta culpa, y cuanto más lo pienso más lo
veo que no tié disculpa ninguna... Y cuando pienso que
mi hija ha estao amenazá a toas horas de una perdición
como ésa, que el que es capaz de matar a un hombre es
capaz de tóo... Y si eso hubiea sido, tan cierto como me
llamo Raimunda que a los dos los mato, a él y a ella,
pués creérmelo. A él por su infamia tan grande, a ella si
no se había dejao matar antes de consentirlo.

ESCENA II

DICHAS y BERNABÉ.

JULIANA.   Aquí está Bernabé.

RAIMUNDA.   ¿Vienes tú solo?

BERNABÉ.   Yo solo, que en el pueblo tóos son a deli-
berar lo que ha de hacerse, y no he querío tardarme
más.

RAIMUNDA.   Has hecho bien, que no es vivir. ¿Qué
dicen unos y otros?

BERNABÉ.   Pa volverse uno loco si fuera uno a hacer
cuenta.

RAIMUNDA.   ¿Y vendrán pa llevarse a Norberto?

BERNABÉ.   En eso está su padre. El médico dice que
no le lleven en carro, que podía empeorarse, que le lleven
en unas angarillas, y a más que deben venir el forense y el
juez a tomarle aquí la declaración, no sea caso que
cuando llegue allí esté peor, y como ayer no pudo declarar como estaba sin conocimiento... Si usted no sabe, ca
uno es de un parecer y nadie se entiende. Ningún hombre
ha salío hoy al campo, tóos andan en corrillos, y las mujeres de casa en casa y de puerta en puerta, que estos días
no se habrá comío ni cenao a su hora en casa ninguna...

RAIMUNDA.   Pero ya sabrán que las heridas de Norberto no son de cuidao.

BERNABÉ.   Y cualquiera les concierta. Ayer, cuando
supieron y que los hijos del tío Eusebio le habían salío

al encuentro yendo con el amo, y le habían herío malamente, tóo eran llantos por el herío. Y hoy, cuando
supieron y que no había sío pa tanto y que muy pronto
estaría curao, los más amigos de Norberto ya dicen y
que no había de haber sío tan poca cosa, que ya que le
han herío tenía que haber sío algo más, pa que los hijos
del tío Eusebio tuviean su castigo, que ahora, si se cura
tan pronto, tóo queará en un juicio, y nadie se conforma
con tan poco.

JULIANA.   De modo que mucho quieren a Norberto,
pero hubiean querido mejor y que los otros lo hubiean
matao. ¡Serán brutos!

BERNABÉ.   Así es. Pues ya les he dicho, que den gracias a usted que dio aviso al amo y al amo que se puso
de por medio y hasta llegó a echarse la escopeta a la cara
pa estorbarles de que le mataran.

RAIMUNDA.   ¿Les has dicho eso?

BERNABÉ.   A tóo el que se ha llegao a preguntarme.
Y lo he dicho, lo uno, porque así es la verdad, y lo otro,
porque no quiea usted saber lo que han levantao por el
pueblo que aquí había habío.

RAIMUNDA.   No me digas náa. ¿Y el amo? ¿No ha
acudío por allí? ¿No has sabío dél?

BERNABÉ.   Sé que le han visto esta mañana con el
Rubio y con los cabreros del Encinar en los Berrocales,
que a la cuenta ha pasao allí la noche en algún mamparo.[20] Y si valiea mi parecer no había de andar así como
huido, que no están las cosas pa que nadie piense lo que
no ha sío. Que el padre de Norberto anda diciendo lo
que no debiera. Y esta mañana se ha avistao con el tío
Eusebio pa imbuirle de que sus hijos no han tenío razón
pa hacer lo que han hecho con su hijo.

RAIMUNDA. Pero ¿es que el tío Eusebio y está en el
lugar?

BERNABÉ.   Con sus hijos ha ido, que esta mañana les
pusieron presos. Atados codo con codo les trajeron del
Encinar, y su padre ha venío tras ellos a pie tóo el

---

[20] *mamparo:* 'amparo, refugio'.

camino, con el hijo chico de la mano, sin dejar de llorar, que no ha habío quien no haiga llorao de verle, hasta los hombres.

RAIMUNDA.   ¡Y aquella madre allí y aquí yo! ¡Si supiean los hombres!

ESCENA III

DICHOS y la ACACIA.

ACACIA.   ¡Madre!

RAIMUNDA.   ¿Qué me quiés, hija?

ACACIA.   Norberto la llama a usted. Se ha despertao y pide agua. Dice que se muere de sed. Yo no me he atrevío a dársela, no fuera caso que no le prestara.

RAIMUNDA.   Ha dicho el médico que pué beber agua de naranja toa la que quiera. Allí está una jarra. ¿Se queja mucho?

ACACIA.   No; ahora, no.

RAIMUNDA.   (A BERNABÉ.) ¿Te has traío lo que dijo el médico?

BERNABÉ.   En las alforjas está tóo. Voy a traerlo. (Vase.)

ACACIA.   ¿No oye usted, madre? Le está a usted llamando.

RAIMUNDA.   Allá voy, hijo, Norberto.

ESCENA IV

La JULIANA y la ACACIA.

ACACIA.   ¿No ha vuelto ese hombre?

JULIANA.   No. Desde que sucedió lo que sucedió, cogió la escopeta y salió como un loco, y el Rubio tras él.

ACACIA.   ¿No le han puesto preso?

JULIANA.   Que sepamos. Antes tendrá que declarar mucha gente.

ACACIA.   Pero ya lo saben tóos, ¿verdad? Tóos oyeron a mi madre.

JULIANA.   De aquí, quitao yo y Bernabé, que no dirá
lo que no se quiea que diga, que es un buen hombre y tié
mucha ley a esta casa, los demás no han podío darse
cuenta. Oyeron que gritaba tu madre, pero tóos se han
creío que era tocante a Norberto, y a que los hijos del tío
Eusebio venían a matarle. Aquí, si la Justicia nos pregunta, nadie diremos otra cosa que lo que tu madre nos
diga que hayamos de decir.

ACACIA.   Pero ¿es que mi madre os va a decir que os
calléis? ¿Es que ella no va a decirlo tóo?

JULIANA.   Pero ¿es que tú te alegrarías? ¿Es que no
miras la vergüenza que va a caer sobre esta casa y pa ti
muy principalmente, que ca uno pensará lo que quiera y
habrá y quien no puea creer que tú has sío consentiora
y quien no lo crea así, y la honra de una mujer no es pa
andar en boca de unos y de otros, que náa va ganando
con ello?

ACACIA.   ¡Mi honra! Pa mí soy bien honrá. Pa los
demás, allá ca uno. Yo ya no he de casarme. Si me alegro de lo que ha sucedío, es por no haberme casao. Si
me casaba sólo era por desesperarle.

JULIANA.   Acacia, no quiero oírte, que eso es estar
endemoniá.

ACACIA.   Y lo estoy, y lo he estao siempre, de tanto
como le tengo aborrecío.

JULIANA.   ¿Y quién te dice que ése no ha sío tóo el
mal, que no has tenío razón pa aborrecerle? Y mía que
nadie como yo le hizo los cargos a tu madre cuando
determinó de volverse a casar. Pero yo le he visto
cuando eras bien chica y tú no podías darte cuenta lo
que ese hombre se tié desesperao contigo.

ACACIA.   Más me tengo yo desesperao de ver cómo
le quería mi madre, que andaba siempre colgá de su cuello y yo les estorbaba siempre.

JULIANA.   No digas eso; pa tu madre has sío tú siempre
lo primero en el mundo. Y pa él también lo hubieas sío.

ACACIA.   No; pa él sí lo he sío, pa él sí lo soy.

JULIANA. Pero no como dices, que paece que te alegras. Como tenía que haber sío, que no te hubiea él querío tan mal si tú le hubieas querío bien.

ACACIA. Pero ¿cómo había de quererle, si él ha hecho que yo no quiera a mi madre?

JULIANA. Mujer, ¿qué dices? ¿Que no quiés a tu madre?

ACACIA. No, no la quiero como tenía que haberla querido si ese hombre no hubiea entrao nunca en esta casa. Si me acuerdo de una vez, era yo muy chica y no he podío olvidarlo, que toa una noche tuve un cuchillo guardao ebajo la almohada, y toa la noche me estuve sin dormir, pensando náa más que en ir y clavárselo.

JULIANA. ¡Jesús, muchacha!, ¿qué estás diciendo? ¿Y hubieas tenío valor? ¿Y hubieas ido y le hubieas matao?

ACACIA. ¡Qué sé yo y a quién hubiea matao!

JULIANA. ¡Jesús! ¡Virgen! Calla esa boca. Tú estás dejá de la mano de Dios. ¿Y quiés que te diga lo que pienso? Que no has tenío tú poca culpa de todo.

ACACIA. ¿Que yo he tenío culpa?

JULIANA. Tú, sí, tú. Y más te digo. Que si le hubieas odiao como dices, le hubieas odiao sólo a él. ¡Ay, si tu madre supiera!

ACACIA. ¿Si supiera qué?

JULIANA. Que toa esa envidia no era de él, era de ella. Que cualquiera diría que sin tú darte cuenta le estabas queriendo.

ACACIA. ¿Qué dices?

JULIANA. Por odio náa más no se odia de ese modo. Pa odiar así tié que haber un querer muy grande.

ACACIA. ¿Que yo he querío nunca a ese hombre? ¿Tú sabes lo que estás diciendo?

JULIANA. Si yo no digo náa.

ACACIA. No, y serás capaz de ir y decírselo lo mismo a mi madre.

JULIANA. Te da miedo, ¿verdad? ¿Lo ves cómo eres tú quien lo está diciendo tóo? Pero está descuidá. ¡Qué voy yo a decirle! ¡Bastante tié la pobre! ¡Dios nos valga!

ESCENA V

DICHAS y BERNABÉ.

BERNABÉ.   Ahí está el amo.
JULIANA.   ¿Le has visto tú?
BERNABÉ.   Sí, viene como rendío.
ACACIA.   Vamos de aquí nosotras.
JULIANA.   Sí, vamos, y no digas náa, que no sepa tu madre que te has podío encontrar con él. *(Salen las mujeres.)*

ESCENA VI

BERNABÉ, ESTEBAN y el RUBIO, *con escopetas.*

BERNABÉ.   ¿Manda usted algo?
ESTEBAN.   Nada, Bernabé.
BERNABÉ.   ¿Quié usted que le diga al ama...?
ESTEBAN.   No le digas náa. Ya me verán.
RUBIO.   ¿Cómo está el herío?
BERNABÉ.   Va mejorcito. Allá voy con tóo esto de la botica, si no manda usted otra cosa. *(Vase.)*

ESCENA   VII

ESTEBAN y el RUBIO.

ESTEBAN.   Ya me tiés aquí. Tú dirás ahora.
RUBIO.   ¿Qué voy yo a decirle a usted? Que aquí es ande tié usted que estar. Que está usted en su casa y aquí pué usted hacerse fuerte; que eso de andar huíos y no dar la cara, no es más que declararse y perdernos...
ESTEBAN.   Ya me tiés aquí, te digo, ya me has traío como querías... Y ahora, tú dirás, cuando venga esa mujer y vuelva a acusarme, y les llame a tóos y venga la justicia y el tío Eusebio con ellos... Tú dirás...
RUBIO.   Si hubiea usted dejao que los del tío Eusebio

se las hubiesen entendío solos con el que está ahí... náa
más que herío, ya estaría tóo acabao... Pero ahora,
hablará ése, hablará su padre dél, hablarán las mujeres...
Y ésas son las que no tién que hablar. Lo de Faustino,
naide puede probárnoslo. Usted iba junto con su padre, a
mí naide pudo verme; tengo buenas piernas y me habían
visto casi a la misma hora a dos leguas de allí. Yo adelanté
el reló en la casa ande estaba, y al despedirme traje la
conversación pa que reparasen bien la hora que era...

Esteban.   Bueno estaría tóo eso, si después no hubieas
sío tú el que ha ido descubriéndose y pregonándolo.

Rubio.   Tié usted razón, y aquel día debió usted
haberme matao; pero es que aquel día, es la primera vez
que he tenío miedo. Yo no esperaba que saliea libre
Norberto. Usted no quiso hacer caso e mí cuando yo le
ecía a usted: "Hay que apretar con la justicia, que
declare la Acacia y diga que Norberto le tenía jurao de
matar a Faustino..." ¿Va usted a decirme que no podía
usted obligarla a que hubiea declarao... y como ella, ya
hubiéamos tenío otros que hubiean declarao de haberle
entendío decir lo mismo?... Y otra cosa hubiea sío;
veríamos si la justicia le había soltao así como así... Pues
como iba diciendo, que no es que quiea negar lo malo
que hice aquel día; como vi libre a Norberto y pensé que
la justicia y el tío Eusebio, que había de apretar con ella,
y tóos habían de echarse a buscar por otra parte, como
digo, por primera vez me entró miedo y quise atolon-
drarme y bebí, que no tengo costumbre, y me fui de la
lengua, que ya digo, aquel día me hubiea usted matao y
razón tenía usted de sobra... Por más de que el runrún
andaba ya por el pueblo, y eso fue lo que me acobardó,
principalmente en oír la copla, que tóo el mal está de esa
parte, créamelo usted, de que Norberto y su padre, por
lo que había pasao entre usted y Norberto, ya tenían sus
sospechas de que usted andaba tras la Acacia... Y ésa es
la voz que hay que callar, sea como sea, que eso es lo
que pué perdernos, que el delito por la causa se saca;
por lo demás..., que no supiean por qué había muerto y
a ver de ande iban a saber quién lo había matao.

ESTEBAN. Eso me digo yo ahora... ¿Por qué ha muerto nadie? ¿Por qué ha matao nadie?

RUBIO. Eso, usted lo sabrá. Pero cuando se confiaba usted de mí, cuando me decía usted un día y otro: "Si esta mujer es pa otro hombre no miraré náa". Y cuando me decía usted: "Va a casarse, y esta vez no pueo espantar al que se la lleva, se casa, se la llevan de aquí, y ca vez que lo pienso..." ¿No se acuerda usted cuántas mañanas, apenas si había amanecío, venía usted a despertarme: "Anda, Rubio, levántate, que no he podío pegar los ojos en toa la noche, vámonos al campo, quiero andar, quiero cansarme"?... Y ca uno con nuestra escopeta, cogíamos y nos íbamos por ahí aelante, los dos mano a mano, sin hablar palabra horas y horas... Allá, cuando caíamos en la cuenta, pa que no dijesen los que nos vían que salíamos de caza y no cazábamos, tirábamos unos tiros al aire: pa espantar la caza, que decía yo, pa espantar pensamientos, que decía usted; y al cabo de andar y andar, nos dejábamos caer, y tumbaos sobre algún ribazo, usted, siempre callao, hasta que al cabo soltaba usted como un bramío, como si se quitara usted un peso muy grande de encima, y me echaba usted un brazo por el cuello y se soltaba usted a hablar y a hablar, que usted mismo, si hubiea usted querío recordarse, no hubiea usted sabío decir lo que había hablao; pero tóo ello venía a parar en lo mismo: "Que estoy loco, que no pueo vivir así, que me muero, que no sé qué me pasa, que esto es un castigo, que esto es un infierno..." Y vuelta a barajar las mismas palabras, pero con tanto barajar, siempre pintaba la misma, la de la muerte... Y pintó tanto, que un día... el cómo se acordó, ya usted lo sabe, pa qué voy a decirlo.

ESTEBAN. ¿No quiés callar?

RUBIO. Cuidao, señor amo, cuidao con ponerme la mano encima. Y no vaya usted a creerse que antes, cuando veníamos, no le he visto a usted la intención, que más de cuatro veces se ha quedao usted como rezagao y ha querío usted echarse la escopeta a la cara. Pa eso no hay razón, señor amo, no hay razón. Nosotros tenemos ya siempre que estar muy uníos... Yo bien sé que usted está pesaroso de tóo y que si pudiea usted no quisiea usted verme más en su vida... Si con eso se quedaba usted en paz, ya me había quitao de elante. Lo que ha de saber usted es que a mí no me ha llevao interés nenguno, lo que usted me haiga dao, por su voluntad ha sío. A mí me sobra tóo; yo no bebo, no fumo, tóos mis gustos no han sío siempre más que andar por esos campos a mi albedrío; lo único que me ha gustao siempre, eso sí, es tener yo mando... Yo quisiea que usted y yo fuéamos como dos hermanos mismamente; yo hice lo que he hecho porque usted hizo confianza de mí, como pué usted hacerla siempre, sépalo usted. Cuando los dos nos viéamos perdidos, me perdería yo solo, que ya tengo pensao lo que he e decir. De usted, ni palabra, antes me hacen peazos; por mí ni la tierra sabrá nunca náa. Diré que he sío yo solo; yo solo por... lo que fuea, que a nadie le importa... Yo no sé lo que podrá salirme; diez años, quince; usted tié poder pa que no sean muchos; luego, con empeños, vienen los indultos; más han hecho otros y con cuatro o cinco años han cumplío. Lo que yo quieo es que usted no se olvide de mí, y cuando vuelva que yo sea pa usted, ya lo he dicho, como un hermano, que no hay hombre sin hombre, y uníos los dos, podremos lo que queramos. Yo no quieo náa más que tener mando, eso sí, mucho mando, pero pa usted, usted me manda siempre... ¡El ama! *(Viendo llegar a* RAIMUNDA.*)*

ESCENA VIII

DICHOS y RAIMUNDA.

*(*RAIMUNDA *sale con una jarra; al ver a* ESTEBAN *y al* RUBIO *se detiene, asustada. Después de titubear un momento llena la jarra en un cántaro.)*

RUBIO.   Con licencia, señora ama.
RAIMUNDA.   Quita, quítateme de delante. No te me acerques. ¿Qué haces tú aquí? No quiero verte.

RUBIO.   Pues tiene usted que verme y oírme.

RAIMUNDA.   ¡A lo que he llegao en mi casa! A mí ¿qué tiés tú que decirme?

RUBIO.   Usted verá. Más tarde o más temprano nos ha de llamar a tóos la Justicia. En bien de tóos, bueno será que estemos tóos acordes. Usted dirá si por habladurías de unos y otros puede consentirse de echar un hombre a presidio.

RAIMUNDA.   No iría uno solo. ¿Piensas tú que ibas a escapar?

RUBIO.   No he querío decir lo que usted se piensa. Iría uno solo, pero ése no sería ningún otro más que yo.

RAIMUNDA.   ¿Qué dices?

RUBIO.   Pero tampoco es razón que yo me calle pa que los demás hablen. Usted verá. A más de que las cosas no han sío como usted se piensa. Todas esas habladurías que andan por el pueblo, han sío cosas de Norberto y de su padre. Y esa copla tan indecente que a usted le ha soliviantao haciéndole creer lo que no ha sío...

RAIMUNDA.   ¡Ah, os habéis concertao en tóo este tiempo! Yo no tengo que creerme de náa. Ni de coplas ni de habladurías. Me creo de lo que es la verdad, de lo que yo sé. Tan bien lo sé, que casi no han tenío que decírmelo. Lo he adivinao yo, lo he visto yo. Pero ni siquiera... Tú no, ¡cómo vas a tener tú esa nobleza! Pero él sería más noble que me lo confesara a mí tóo. Si bien pué saber que yo no he de ir a delatar a nadie... No por vosotros; por esta casa, que es la de mis padres; por mi hija, por mí. Pero ¿qué vale que yo no lo diga si lo dicen tóos, si hasta las piedras lo cantan y lo pregonan por tóo el contorno?

RUBIO.   Deje usted que pregonen, usted es la que tié que callar.

RAIMUNDA.   Porque tú lo quieres. Pues mira que sólo de oírtelo a ti ya me entran ganas de gritarlo ande más puedan escucharme.

RUBIO.   No se ponga usted así, que no hay razón pa ello.

RAIMUNDA.   No hay razón y habéis dao muerte a un

hombre. Y ahí tenéis a otro que han podío matar por causa vuestra.

RUBIO.   Y ha sío lo menos malo que ha podío suceder.

RAIMUNDA.   Calla, calla, asesino, cobarde.

RUBIO.   A usted le dicen, señor amo.

ESTEBAN.   ¡Rubio!

RUBIO.   ¡Qué!

RAIMUNDA.   Así tiés que bajar la cabeza delante de este hombre. ¡Qué más castigo! ¡Qué más caena que andar atao con él pa toa la vida! Ya tié amo esta casa. ¡Gracias a Dios! ¡Pué que mire más por su honra de lo que has mirao tú!

ESTEBAN.   ¡Raimunda!

RAIMUNDA.   ¡Qué, también digo yo! ¡Pué que conmigo sí te atrevas!

ESTEBAN.   Tiés razón, tiés razón, que no he sío hombre pa meterme una onza de plomo en la cabeza y acabar de una vez.

RUBIO.   ¡Señor amo!

ESTEBAN.   ¡Quita, quita! ¡Vete de aquí, vete! ¿Cómo quiés que te lo pida? ¿De rodillas quiés que te lo pida?

RAIMUNDA.   ¡Ah!

RUBIO.   No, señor amo. Conmigo no tié usted que ponerse así. Ya me voy. (A RAIMUNDA.) Si no hubiea sío por mí, no habría muerto un hombre, pero quizá que se hubiea perdío su hija. Ahora, ahí le tié usted, acobardao como una criatura. Ya se ha pasao tóo, fue una ventolera, un golpe de sangre. ¡Ya está curao! Y pué que yo haiga sío el médico. ¡Eso tié usted que agradecerme, pa que usted lo sepa!

ESCENA IX

RAIMUNDA y ESTEBAN.

ESTEBAN.   No llores más, no quieo verte llorar. No valgo yo pa esos llantos. Yo no hubiea vuelto aquí nunca, me hubiea dejao morir entre esas breñas, si antes

no me cazaban como a un lobo, que yo no había de
defenderme. Pero no quiero tampoco que tú me digas
náa. Tóo lo que puedas decirme, me lo he dicho yo
antes. Más veces que tú puedas decírmelo me he dicho
yo criminal y asesino. Déjame, déjame, ya no soy de esta
casa. Déjame, que aquí aguardo a la Justicia; y no voy yo
a buscarla y a entregarme a ella porque no pueo más,
porque no podría tirar de mí pa llevarme. Pero si no
quieres tenerme aquí, me saldré en medio del camino pa
dejarme caer en mitá de una de esas herrenes[21] como si
hubiean tirao una carroña fuera.

RAIMUNDA. ¡Entregarte a la Justicia, pa arruinar
esta casa, pa que la honra de mi hija anduviea en dichos
de unos y otros! Pa ti no tenía que haber habío más Justicia que yo. En mí sólo que hubieas pensao. ¿Crees que
voy a creerme ahora de esos llantos porque no te haya
visto nunca llorar? El día que se te puso ese mal pensamiento tenías que haber llorao hasta secársete los ojos,
pa no haberlos puesto y ande menos debías. Si lloras tú,
¿qué tenía que hacer yo entonces? Y aquí me tiés, que
quien me viera no podría crerse de tóo lo que a mí me
ha pasao, y no sé yo qué más podía pasarme, y no quiero
recordarme de náa, no quiero pensar otra cosa que en
ver de esconder de tóos la vergüenza que ha caío sobre
tóos nosotros. Estorbar que de esta casa puea decirse y
que ha salío un hombre pa ir a un presidio, y que ese
hombre sea el que yo traje pa que fuea como otro padre
pa mi hija. A esta casa, que ha sío la de mis padres y mis
hermanos, ande tóos ellos han vivío con la honra del
mundo, ande los hombres que han salío de ella pa servir
al rey, o pa casarse, o pa trabajar otras tierras, cuando
han vuelto a entrar por esas puertas han vuelto con
tanta honra como habían salío. No llores, no escondas la
cara, que tiés que levantarla como yo cuando vengan a
preguntarnos a tóos. Que no se vea el humo aunque se
arda la casa. Límpiate esos ojos; sangre tenían que

---

[21] *herrenes:* 'terrenos en que se siembra forraje de avena,
cebada, etcétera'.

haber llorao. ¡Bebe una copa de agua! ¡Veneno había de ser! No bebas tan aprisa, que estás tóo sudao. ¡Mira cómo vienes, arañao de las zarzas! ¡Cuchillos habían de haber sío! ¡Trae aquí que te lave, que da miedo de verte!

ESTEBAN.   ¡Raimunda, mujer! ¡Ten lástima de mí! ¡Si tú supieas! Yo no quiero que tú me digas náa. Pero yo sí quiero decírtelo tóo. Confesarme a ti, como me confesaría a la hora de mi muerte. ¡Si tú supieas lo que yo tengo pasao entre mí en tóo este tiempo! ¡Como si hubiea estao porfiando día y noche con algún otro que hubiea tenío más fuerza que yo y se hubiea empeñao en llevarme ande yo no quería ir!

RAIMUNDA.   Pero ¿cómo te acudió ese mal pensamiento y en qué hora maldecía?

ESTEBAN.   Si no sabré decirlo. Fue como un mal que le entra a uno de pronto. Tóos pensamos alguna vez algo malo, pero se va el mal pensamiento y no vuelve uno a pensar más en ello. Siendo yo muy chico, un día que mi padre me riñó y me pegó malamente; con la rabia que yo tenía, me recuerdo de haber pensao así en un pronto: "¡Mía si se muriese!" Pero fue náa más que pensarlo, y en seguía de haberlo pensao entrarme una angustia muy grande y mucho miedo de que Dios me le llevara. Y ende[22] aquel día me apliqué más a respetarle. Y cuando murió, años después, que ya era yo muy hombre, tanto como su muerte tengo llorao por aquel mal pensamiento; y así me creía yo que sería de este otro. Pero éste no se iba. Más fijo estaba cuanto más quería espantarle. Y tú lo has visto, que no podrás decir que yo haiga dejao de quererte, que te he querío más cada día. No podrás decir que yo haiga mirao nunca a ninguna otra mujer con mala intención. Y a ella no hubiea querío mirarla nunca. Pero sólo de sentirla andar cerca de mí se me ardía la sangre. Cuando nos sentábamos a comer no quería mirarla y ande quiea que volvía los ojos la estaba viendo elante de mí siempre. Y las noches, cuando más te tenía junto a mí, en medio del silencio de

²² *ende, vid.* nota 18.

la casa, yo no sentía más que a ella, la sentía dormir como si estuviea respirando a mi oído. Y tengo llorao de coraje. Y le tengo pedío a Dios. Y me tengo dao de golpes. Y me hubiea matao y la hubiea matao a ella. Si yo no sabré decir cómo ha sío. Las pocas veces que no he podío por menos de encontrarme a solas con ella he tenío que escapar como un loco. Y no sabré decir lo que hubiea sío de no escapar: si la hubiea dao de besos o la hubiea dao de puñaladas.

RAIMUNDA. Es que sin tú saberlo has estao como loco, y alguien tenía que morir de esa locura. ¡Si antes se hubiea casao, si tú no hubieas estorbao que se casase con Norberto!...

ESTEBAN. Si no era el casarse, era el salir de aquí. Era que yo no podía vivir sin sentirla junto a mí un día y otro. Que tóo aquel aborrecimiento suyo, y aquel no mirarme a la cara, y aquel desprecio de mí que ha hecho siempre, tóo eso que tanto había de dolerme, lo necesitaba yo pa vivir como algo mío. ¡Ya lo sabes tóo! Y casi pué decirse que ahora es cuando yo me he dao cuenta. Que hasta ahora que me he confesao a ti, tóo me parecía que no había sío. Pero así ha sío, ha sío pa no perdonármelo nunca, aunque tú quisieas perdonarme.

RAIMUNDA. No está ya el mal en que yo te perdone o deje de perdonarte. A lo primero de saberlo, sí, no había castigo que me paeciera bastante pa ti. Ahora ya no sé. Si yo creyera que eras tan malo pa haber tú querío hacer tanto mal como has hecho... Pero si has sío siempre tan bueno, si lo he visto yo, un día y otro, pa mí, pa esa hija misma, cuando viniste a esta casa y era ella una criatura, pa los criaos, pa tóos los que a ti se llegaban, y tan trabajador y tan de tu casa. Y no se pué ser bueno tanto tiempo pa ser tan criminal en un día. Tóo esto ha sío, qué sé yo, miedo me da pensarlo. Mi madre, en gloria esté, nos lo decía muchas veces, y nos reíamos con ella, sin querer creernos de lo que nos decía. Pero ello es que a muchos les tié pronosticao cosas que después les han sucedío. Que los muertos no se van de con nosotros cuando paece que se van pa siempre al llevarlos pa enterrar en el campo santo, que andan día y noche alrededor de los que han querío y de los que han odiao en vida. Y sin nosotros verlos, hablan con nosotros. ¡Que de ahí proviene que muchas veces pensamos lo que no hubiéamos creído de haber pensao nunca!

ESTEBAN.   ¿Y tú crees?

RAIMUNDA.   Que tóo esto ha sío pa castigarnos, que el padre de mi hija no me ha perdonao que yo hubiea dao otro padre a su hija. Que hay cosas que no puen explicarse en este mundo. Que un hombre bueno como tú puea dejar de serlo. Porque tú has sío muy bueno.

ESTEBAN.   Lo he sío siempre, lo he sío siempre y de oírtelo decir a ti, ¡qué consuelo y qué alegría tan grande!

RAIMUNDA.   Calla, escucha. Me paece que ha entrao gente de la otra parte de la casa. A la cuenta será el padre de Norberto y los que vienen con él pa llevárselo. No deben de haber venío los de Justicia, que hubiean entrao de esta parte. Voy a ver. Tú, anda allá dentro, a lavarte y mudarte de camisa, que no te vean así, que paeces...

ESTEBAN.   No te pares en decirlo. Un malhechor, ¿verdad?

RAIMUNDA.   No, no, Esteban. Pa qué atormentarnos más. Ahora lo que importa es acallar a tóos los que hablan. Después ya pensaremos. Mandaré a la Acacia unos días con las monjas del Encinar, que la quieren mucho y siempre están preguntando por ella. Y después escribiré a mi cuñada Eugenia, la de La Adrada, que siempre ha querío mucho a mi hija, y se la mandaré con ella. Y quién sabe. Allí pué casarse, que hay mozos de muy buenas familias y bien acomodás, y ella es el mejor partío de por aquí y pué volver casada, y luego tendrá hijos que nos llamarán abuelos, y ya iremos pa viejos y entoavía pué haber alegría en esta casa. Si no fuea...

ESTEBAN.   ¿Qué?

RAIMUNDA.   Si no fuea...

ESTEBAN.   Sí. El muerto.

RAIMUNDA.   Ése, que estará ya aquí siempre, entre nosotros.

ESTEBAN. Tiés razón. ¡Pa siempre! Tóo pué
borrarse menos eso. *(Sale.)*

ESCENA X

RAIMUNDA *y la* ACACIA.

RAIMUNDA. ¡Acacia! ¿Estabas ahí, hija?

ACACIA. Ya lo ve usted. Aquí estaba. Ahí está el
padre de Norberto, con sus criaos.

RAIMUNDA. ¿Qué dice?

ACACIA. Paece más conforme. Como le ha visto tan
mejorao... Esperan al forense, que ha de venir a recono-
cerle. Ha ido al Sotillo a otra diligencia y luego vendrá.

RAIMUNDA. Pues allá vamos nosotras.

ACACIA. Es que antes quisiea yo hablar con usted,
madre.

RAIMUNDA. ¿Hablar tú? ¡Ya me tiés asustá! ¡Que
hablas tan pocas veces! ¿Asunto de qué?

ACACIA. De que he entendío lo que tié usted determinao de hacer conmigo.

RAIMUNDA. ¿Andabas a la escucha?

ACACIA. Nunca he tenío esa costumbre. Pero ponga
usted que hoy he andao. Es que me importaba lo que
había usted de tratar con ese hombre. Quie decirse
que en esta casa la que estorba soy yo. Que los que no
tenemos culpa ninguna hemos de pagar por los que tién
tanta. Y tóo pa quedarse usted tan ricamente con su
marío. A él se lo perdona usted tóo, pero a mí se me
echa de esta casa, náa más que pa quedarse ustedes muy
descansaos.

RAIMUNDA. ¿Qué estás diciendo? ¿Quién pué
echarte a ti de esta casa? ¿Quién ha tratao semejante
cosa?

ACACIA. Usted sabrá lo que ha dicho. Que me lle-
vará usted al convento del Encinar, y pué que quisiea
usted encerrarme allí pa toa mi vida.

RAIMUNDA. No sé cómo pueas decir eso. Pues ¿no

has sío tú muchas veces la que me tiés dicho que te gustaría pasar allí algunos días con las monjas? ¿Y no he sío yo la que nunca te ha consentío, por miedo no quisieas quedarte allí? Y con la tía Eugenia, ¿cuántas veces no me has pedío tú misma de dejarte ir con ella? Y ahora que se dispone en bien de tóos, en bien de esta casa, que es tuya y náa más que tuya, y a tóos importa poder salir de ella con la frente muy alta... ¿qué quisieas tú, que yo delatase al que has debío mirar como a un padre?

ACACIA.   ¿Si querrá usted decir, como la Juliana, que yo he teníohmm la culpa de tóo?

RAIMUNDA.   No digo náa. Lo que yo sé es que él no ha podío mirarte como hija porque tú no lo has sío nunca pa él.

ACACIA.   ¿Si habré sío yo la que se habrá ido a poner elante e sus ojos? ¿Si habré sío yo la que habrá hecho matar a Faustino?

RAIMUNDA.   ¡Calla, hija, calla! ¡Si te entienden de allí!...

ACACIA.   Pues no se saldrá usted con la suya. Si usted quié salvar a ese hombre y callar tóo lo que aquí ha pasao, yo lo diré a la Justicia y a tóos. Yo no tengo que mirar más que por mi honra. No por la de quien no la tiene, ni la ha teníohmm nunca, porque es un criminal.

RAIMUNDA.   ¡Calla, hija, calla! ¡Frío me da de oírte! ¡Que tú le odies, cuando yo casi le he perdonao!

ACACIA.   Sí, le odio, le he odiao siempre, y él también lo sabe. Y si no quiere verse delatao por mí, ya pué venir y matarme. ¡Sí, eso quisiea yo, que me matase! ¡Sí, que me mate, pa ver si de una vez deja usted de quererle!

RAIMUNDA.   ¡Calla, hija, calla!

ESCENA XI

DICHAS y ESTEBAN.

RAIMUNDA.   ¡Esteban!

ESTEBAN. ¡Tié razón, tié razón! ¡No es ella la que tié que salir de esta casa! Pero yo no quiero que sea ella quien me entregue a la Justicia. Me entregaré yo mismo. ¡Descuida! ¡Y antes de que puean entrar aquí, les saldré yo al encuentro! ¡Déjame tú, Raimunda! Te queda tu hija. Ya sé que tú me hubieas perdonao. ¡Ella no! ¡Ella me ha aborrecío siempre!

RAIMUNDA. No, Esteban. ¡Esteban de mi alma!

ESTEBAN. ¡Déjame, déjame, o llamo al padre de Norberto y se lo confieso tóo aquí mismo!

RAIMUNDA. Hija, ya lo ves. Y ha sío por ti. ¡Esteban, Esteban!

ACACIA. ¡No le deje usted salir, madre!

RAIMUNDA. ¡Ah!

ESTEBAN. ¿Quiés ser tú quien me delate? ¿Por qué me has odiao tanto? ¡Si yo te hubiea oído tan siquiera una vez llamarme padre! ¡Si tú pudieas saber cómo te he querío yo siempre!

ACACIA. ¡Madre, madre!

ESTEBAN. Malquerida habrás sío sin yo quererlo. Pero antes, ¡cómo te había yo querío!

RAIMUNDA. ¿No le llamarás nunca padre, hija?

ESTEBAN. No me perdonará nunca.

RAIMUNDA. Sí, hija, abrázale. Que te oiga llamarle padre. ¡Y hasta los muertos han de perdonarnos y han de alegrarse con nosotros!

ESTEBAN. ¡Hija!

ACACIA. ¡Esteban! ¡Dios mío, Esteban!

ESTEBAN. ¡Ah!

RAIMUNDA. ¿Aún no le dices padre? Qué, ¿ha perdío el sentío? ¡Ah!, ¿boca con boca y tú abrazao con ella? ¡Quita, aparta, que ahora veo por qué no querías llamarle padre! ¡Que ahora veo que has sío tú quien ha tenío la culpa de tóo, maldecía!

ACACIA. Sí, sí. ¡Máteme usted! Es verdad, es la verdad. ¡Ha sío el único hombre a quien he querío!

ESTEBAN. ¡Ah!

RAIMUNDA. ¿Qué dice, qué dice? ¡Te mato! ¡Maldecía!

ESTEBAN.   ¡No te acerques!

ACACIA.   ¡Defiéndame usted!

ESTEBAN.   ¡No te acerques, te digo!

RAIMUNDA.   ¡Ah! ¡Así! ¡Ya estáis descubiertos! ¡Más vale así! ¡Ya no podrá pesar sobre mí una muerte! ¡Que vengan tóos! ¡Aquí, acudir toa la gente! ¡Prender al asesino! ¡Y a esa mala mujer, que no es hija mía!

ACACIA.   ¡Huya usted, huya usted!

ESTEBAN.   ¡Contigo! ¡Junto a ti siempre! ¡Hasta el infierno! ¡Si he de condenarme por haberte querío! ¡Vamos los dos! ¡Que nos den caza si puén entre esos riscos! ¡Pa quererte y pa guardarte seré como las fieras, que no conocen padres ni hermanos!

RAIMUNDA.   ¡Aquí, aquí! ¡Ahí está el asesino! ¡Prenderle! ¡El asesino! *(Han llegado por diferentes puertas el* RUBIO, BERNABÉ *y la* JULIANA, *y gente del pueblo.)*

ESTEBAN.   ¡Abrir paso, que no miraré náa!

RAIMUNDA.   ¡No saldrás! ¡Al asesino!

ESTEBAN.   ¡Abrir paso, digo!

RAIMUNDA.   ¡Cuando me haigas matao!

ESTEBAN.   ¡Pues así! *(Dispara la escopeta y hiere a* RAIMUNDA.*)*

RAIMUNDA.   ¡Ah!

JULIANA.   ¡Jesús! ¡Raimunda! ¡Hija!

RUBIO.   ¿Qué ha hecho usted, qué ha hecho usted?

UNO.   ¡Matarle!

ESTEBAN.   ¡Matarme si queréis, no me defiendo!

BERNABÉ.   ¡No; entregarle vivo a la Justicia!

JULIANA.   ¡Ese hombre ha sío, ese mal hombre! ¡Raimunda! ¡La ha matao! ¡Raimunda! ¿No me oyes?

RAIMUNDA.   ¡Sí, Juliana, sí! ¡No quisiea morir sin confesión! ¡Y me muero! ¡Mía cuánta sangre! Pero ¡no importa! ¡Ha sío por mi hija! ¡Mi hija!

JULIANA.   ¡Acacia! ¿Ande estás?

ACACIA.   ¡Madre, madre!

RAIMUNDA.   ¡Ah! ¡Menos mal, que creí que aún fuea por él por quien llorases!

ACACIA.   ¡No, madre, no! ¡Usted es mi madre!

JULIANA.   ¡Se muere, se muere! ¡Raimunda, hija!

ACACIA.   ¡Madre, madre mía!

RAIMUNDA.   ¡Ese hombre ya no podrá náa contra ti! ¡Estás salva! ¡Bendita esta sangre que salva, como la sangre de Nuestro Señor!

FIN

DEL DRAMA

ÍNDICE DE LÁMINAS

ESTE LIBRO
SE TERMINÓ DE IMPRIMIR
EL DÍA 15 DE ABRIL DE 1996.

clásicos castalia

ÚLTIMOS TÍTULOS PUBLICADOS